BLED

10/11 ans

CM2

Français

Daniel Berlion

Michel Dezobry

hachette
ÉDUCATION

les leçons

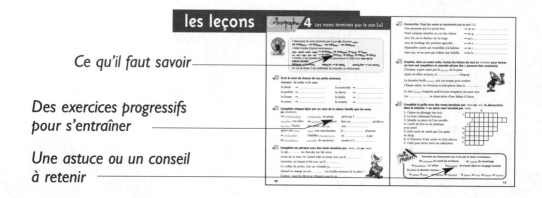

Ce qu'il faut savoir

Des exercices progressifs pour s'entraîner

Une astuce ou un conseil à retenir

les corrigés

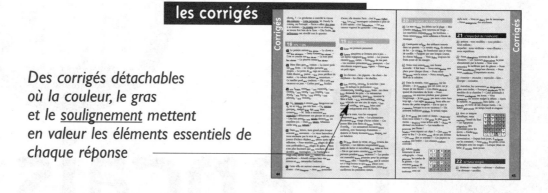

Des corrigés détachables où la couleur, le gras et le <u>soulignement</u> mettent en valeur les éléments essentiels de chaque réponse

les dictées bilans

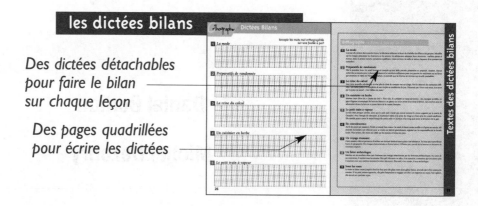

Des dictées détachables pour faire le bilan sur chaque leçon

Des pages quadrillées pour écrire les dictées

Couverture
Conception graphique : Karine Nayé
Dessin de couverture : Julien Flamand

Intérieur
Conception graphique : Karine Nayé
Réalisation PAO : Lasergraphie
Illustrations : Dominique Fages
Dessins du pélican : Julien Flamand

www.hachette-education.com
ISBN : 978-2-01-169880-3

Sommaire

Chaque fois que tu as fini une leçon, colorie la case, puis écris la date

ORTHOGRAPHE

1 Le son [j] (-ill-, -y-, -ll-) . . . . 4 ❑ . . . .
2 Les consonnes doubles . . . . 6 ❑ . . . .
3 Les noms terminés par le son [wa] . . . . . . 8 ❑ . . . .
4 Les noms terminés par le son [o] . . . . 10 ❑ . . . .
5 Les noms terminés par les sons [i], [y], [yʀ] . . . . 12 ❑ . . . .
6 Les noms terminés par [al] et [yl]. . . . . 14 ❑ . . . .
7 La lettre h . . . . 16 ❑ . . . .
8 La lettre x . . . . 18 ❑ . . . .
9 Des lettres finales muettes . . . . 20 ❑ . . . .
10 Des mots invariables. . . . . 22 ❑ . . . .
11 Des homonymes . . . . 24 ❑ . . . .

Pages d'écriture des dictées : 26-27

GRAMMAIRE

12 Le genre des noms . . . . .28 ❑ . . . .
13 Le pluriel des noms . . . . .30 ❑ . . . .
14 Les accords dans le groupe nominal . . . . . .32 ❑ . . . .
15 L'accord du verbe avec son sujet . . . . .50 ❑ . . . .
16 L'accord du participe passé employé
avec l'auxiliaire *être* . . . . .52 ❑ . . . .
17 L'accord du participe passé employé
avec l'auxiliaire *avoir* . . . . .54 ❑ . . . .
18 ces – ses . . . . .56 ❑ . . . .
19 leur – leur(s) . . . . .58 ❑ . . . .

Pages d'écriture des dictées : 60-61

CONJUGAISON

20 Le présent de l'indicatif . . . . .62 ❑ . . . .
21 L'imparfait de l'indicatif . . . . .64 ❑ . . . .
22 Le futur simple . . . . .66 ❑ . . . .
23 Le passé simple . . . . .68 ❑ . . . .
24 Les temps composés de l'indicatif . . . . . . .70 ❑ . . . .
25 Le présent du conditionnel . . . . .72 ❑ . . . .
26 L'impératif . . . . .74 ❑ . . . .
27 Le présent du subjonctif . . . . .76 ❑ . . . .

Pages d'écriture des dictées : 78-79

Textes des dictées bilans : pages 33-35 } détachables au centre du cahier
Corrigés des exercices : pages 36-48

Je retiens !

• Quand le son [j] s'écrit **-ill**, la lettre **i** ne s'entend pas lorsqu'elle est précédée d'une voyelle,
le caillou – le bouillon – conseiller
mais elle s'entend quand elle est précédée d'une consonne.
la famille – la bille – une vrille

• Quand le son [j] s'écrit **-y**, le **y** a généralement valeur de deux **i** ; le premier étant lié avec la voyelle qui le précède et le second avec la voyelle qui suit.
un crayon → un crai-ion
essuyer → essui-ier

Comme il est difficile de choisir entre les différentes écritures du son [j], il est prudent de consulter un dictionnaire en cas de doute.

1 Dans chaque colonne, il y a un mot dans lequel **y** ou **ill** se prononce différemment des autres mots de la colonne ; encadre-le.

une pastille	une bille	écailler	veiller
des myrtilles	un paysan	la ferraille	une groseille
une aiguille	le voyage	tranquille	effrayer
la ville	le noyau	un maillet	un millimètre
une torpille	la brillance	périlleux	réveiller
une quille	un tuyau	travailler	la grillade

2 Complète les phrases avec les mots proposés.

médaillon – crayon – tailler – rayer – ailleurs – frayeur

Nous allons .... Guillaume de la liste des participants.

À la vue du serpent, Albert pousse un cri de ....

Tu me gênes, va jouer du violon .... !

Le jardinier devra .... les rosiers avant la fin du mois.

J'écris mon nom avec un .... bleu.

Lucie porte une chaîne avec un .... en argent.

3 Complète les phrases avec un verbe à l'infinitif de la même famille que le nom entre parenthèses.

(un envoi)   Je vais .... un colis à Noémie.

(un essai)   Avant d'acheter un survêtement, Fred doit l'........................... .

(l'ennui)   Le dimanche après-midi, Kevin a peur de s'........................... .

(un balai)   Après la fête, il faut .... la salle.

(un emploi)   On ne devrait pas .... trop de mots familiers.

(une raie)   Pour .... une vitre, on peut utiliser un diamant.

(un appui)   .... sur le champignon signifie accélérer.

4 Complète les mots avec **ill** ou **y**. Tu peux utiliser un dictionnaire.

ralentir par temps de brou......ard   cue......ir des cerises

fêter jo......eusement son anniversaire   se cacher dans le feu......age

le château de Versa......es   un ca......ot de sang

le ro......aume de France   les consonnes et les vo......elles

les ra......ures du tissu   des pap......ons exotiques

ramasser des coqu......ages   pa......er son lo......er régulièrement

les devoirs du cito......en   s'hab......er chaudement

un discours ennu......eux   vo......ager à l'étranger

5 Tous les noms à trouver s'écrivent avec **ill**.

Les poules, les coqs, les poussins y vivent.   → le p...

On s'essuie les pieds dessus !   → le p...

Un accident de chemin de fer.   → un dé...

Trace laissée par la charrue.   → le s...

Pour y jouer, il faut trois boules en ivoire.   → le b...

On s'en sert pour arracher les clous.   → les te..

mémo
malin

Dans les noms, **-ill** est rarement suivi d'un i mais il y a quelques exceptions ; tu peux en retenir certaines en apprenant cette comptine.

Chez le joa**ill**ier
Entra un quinca**ill**ier.
Il commanda un bijou en forme de grose**ill**ier
Pour l'offrir à son ami le margu**ill**ier,
Celui qui sonne les cloches chaque dimanche !

Je retiens !

• Les **consonnes** peuvent être doublées entre :
– **deux voyelles** : **une envelo*pp*e – un bu*ll*etin – de la po*mm*ade**
– **une voyelle** et la consonne **r** : **su*pp*rimer – a*cc*rocher – a*tt*raper**
– **une voyelle** et la consonne **l** : **a*pp*laudir – une a*gg*lomération – sou*ff*ler**

• Une voyelle **accentuée** n'est jamais suivie d'une consonne double :
la poussière – une boîte – un frère – un modèle

• La lettre **e, sans accent,** suivie d'une consonne double, se prononce [ɛ] :
la moquette – une chienne – la terre

• Une **consonne** n'est jamais suivie d'une **consonne double** :
en*f*ourner – as*p*irer – la dé*p*ense

1 Regroupe les mots ayant les mêmes voyelles avant et après la ou les mêmes consonnes.

le tonneau – allumer – un millier – une ballade – une goutte – un napperon – arriver – la pommade

la salade	→ une ballade	un drapeau	....
un militaire	....	un téléphone	....
un parachute	....	parisien	....
une tomate	....	l'aluminium	....

2 Complète comme il convient. Tu peux utiliser un dictionnaire.

l ou ll

la carie d'une mo......aire

une ba......e de tennis

le déco......age de l'avion

un fleuve a......emand

une feuille de ca......epin

p ou pp

a......laudir un acteur de cinéma

a......latir la tête d'un clou

s'écha......er de la cage du zoo

un cha......eau pointu

attra......er la gri......e

n ou nn

ne pas avoir de mo......aie

un violent coup de to......erre

rencontrer sa nouvelle voisi......e

une goutte de vi......aigre

se savo......er les mains

r ou rr

la nou......iture de bébé

escalader une pa......oi abrupte

manger des ca......ottes râpées

un vent fu......rieux

a......oser les gé......aniums

3 Observe bien les lettres précédant les points et complète les mots, sans l'aide d'un dictionnaire.

L'orage fut violent et la grê......e a brisé les vitres de la salle à manger.

La pâ......issiè......e pré......are des gâ......eaux ; les invités vont se ré......aler !

La panthè......e est souvent considé......ée comme une bê......e fé......oce.

Le vé......é......inaire examine la chie......e ble......ée ; il va la soigner.

Les enquê......eurs ont arrê......é l'auteur du vol des bijoux de la reine.

La vipè......e s'est dissimulée dans les fougè......es ou mê......e dans les bruyè......es.

4 Complète les couples d'homonymes avec une consonne simple ou une consonne double.

n'avoir guè......e d'appétit   déclarer la gue......e à un pays

remplir une ma......e en osier   connaître le nom du mâ......e de la jument

Il a......ête de chanter.   avaler une a......ête de poisson

porter un pantalon sa......e   entrer dans la sa......e de spectacle

couper deux mè......res de tissu   ne pas hésiter à me......re un anorak

5 Utilise un dictionnaire pour compléter avec le féminin des adjectifs entre parenthèses ; souligne la lettre e prononcée [ɛ].

(ancien)   Ces arènes sont très ...., car datant de l'époque romaine.

(maternel) La grande sœur élève son jeune frère avec une douceur ....

(nouveau)   Ce télescope géant a permis de découvrir de .... planètes.

(vendéen)   Les îles d'Yeu et de Noirmoutier sont au large de la côte ....

(lycéen)   Alexia est heureuse. Depuis la rentrée, elle est ....

(amer)   Je ne peux pas boire cette tisane ; elle est bien trop ....

6 Dans les mots suivants, souligne les deux consonnes successives.
Tu remarqueras que la deuxième n'est jamais doublée.

un volcan	être honteux	pulmonaire	du calcaire
doubler	un insigne	lointain	charmer
un diplôme	le lampion	un mensonge	la distance
la diction	le pétrole	un morceau	déplacer

mémo
malin

Quand l'enveloppe fut ouverte, tout le monde acclama Perrine
qui venait d'être élue la femme la plus coquette du quartier :
quel honneur !

Je retiens !

• Les noms masculins terminés par le son [wa] s'écrivent souvent **-ois** ou **-oi**.
le bois, le patois – l'emploi, le tournoi

• Les noms féminins terminés par le son [wa] s'écrivent souvent **-oie**.
la soie – la joie – la voie

• Mais il y a d'autres terminaisons ; aussi est-il prudent de consulter un dictionnaire en cas de doute.
la loi – le choix – le droit – le poids – le doigt...

1 **Complète chaque mot avec un article.**

.... roi   .... soie   .... toit   .... croix   .... envoi

.... noix   .... convoi   .... proie   .... villageois   .... choix

.... beffroi   .... carquois   .... sous-bois   .... désarroi   .... oie

.... courroie   .... émoi   .... paroi   .... maladroit   .... détroit

2 **Complète les phrases avec ces noms.**

(la) foi ; (le) foie ; (la) fois – (le) pois ; (le) poids ; (la) poix

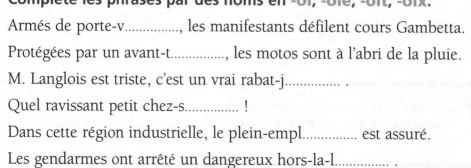

J'appris la vérité par un témoin digne de ....

On ne se comprend pas quand on parle tous à la ....

William est alité pour une crise de ....

L'ingénieur est accablé sous le .... des responsabilités.

La .... est une substance collante faite avec de la résine et du goudron.

Les .... de senteur ont envahi le grillage.

3 **Complète les phrases par des noms en -oi, -oie, -oit, -oix.**

Armés de porte-v..............., les manifestants défilent cours Gambetta.

Protégées par un avant-t..............., les motos sont à l'abri de la pluie.

M. Langlois est triste, c'est un vrai rabat-j............... .

Quel ravissant petit chez-s............... !

Dans cette région industrielle, le plein-empl............... est assuré.

Les gendarmes ont arrêté un dangereux hors-la-l............... .

8

4 Complète chaque série d'expressions par un nom de la même famille que les mots en **couleur**.

un **exploitant** agricole	**exploiter** une mine	réaliser un ....
un salaire **mensuel**	payer une **mensualité**	le .... d'avril
faire preuve de **droiture**	rouler à **droite**	le .... de vote
une empreinte **digitale**	le **doigté** du pianiste	montrer du ....
déboiser une montagne	une **boiserie** de chêne	un feu de ....

5 Complète les phrases par des noms d'animaux en **-oie** ou **-ois**.

De rocher en rocher, le ch.................... fuit les chasseurs.

Par l'odeur désagréable qu'il dégage, le pu.................... mérite bien son nom.

L'anch...................., petit poisson de mer, s'apprécie dans les salades.

Cet oiseau palmipède est aussi connu par le jeu de l'.................... .

6 Complète les paires de mots par des synonymes en **-oi**, **-oix**, **-oit** ou **-oids**.

Exemple : un chemin → une voie

un combat	→ un tour...........................		une masse	→ un p...........................
un lieu	→ un end...........................		un cortège	→ un conv...........................
une option	→ un ch...........................		une frayeur	→ un eff...........................
une cloison	→ une par...........................		une règle	→ une l...........................

7 Complète ces expressions avec des noms en **-oi**, **-oid**, **-oids**, **-oie**, **-oigt**, **-ois**, **-oix**.

mettre quelqu'un sur la bonne v..............	obéir au d.............. et à l'œil
ne faire ni chaud ni f..............	travailler pour le r.............. de Prusse
mettre en garde une f.............. pour toutes	être la pr.............. des flammes
avoir un p.............. sur l'estomac	quelqu'un se met hors-la-l..............
s'en donner à cœur j..............	n'avoir que l'embarras du ch..............

mémo Malin

Dans cette comptine, un petit peu farfelue,
tu trouves les principaux noms féminins terminés par **-oie**.

Il était une **oie**
Qui cherchait sa **voie**.
Elle portait une écharpe de **soie**
Et s'en servait comme d'une **courroie**,
Mais elle n'eut pas la **joie**
D'attraper sa **proie**.

Je retiens !

• Beaucoup de noms terminés par le son [o] s'écrivent **-eau** :
un ruisseau – un bateau – un tableau – un drapeau

• Mais il existe d'autres terminaisons :
-au, -aud, -aut → le boyau, le crapaud, le saut, le taux
-o, -oc, -op, -os, -ot → le micro, l'accroc, le galop, le repos, le tricot

• Parfois, il est possible de trouver la terminaison à l'aide d'un **mot de la même famille** :
tricoter → le tricot   **reposer → le repos**   **accrocher → un accroc**

En cas de doute, il est préférable de consulter un dictionnaire.

1 **Écris le nom de chacun de ces petits animaux.**

Exemple : la vache → le veau

la dinde   → ....   la tourterelle → ....

la perdrix → ....   la chèvre   → ....

la lionne   → ....   la brebis   → ....

la souris   → ....   la renarde   → ....

2 **Complète chaque ligne par un nom de la même famille que les mots en couleur.**

un échafaudage   échafauder un projet   périr sur l'..............................

sautiller sur place   un sauteur en longueur   faire un .... périlleux

faucher l'herbe   une petite faucille   une ....

payer une taxe   taxer une marchandise   le .... d'intérêt

se réchauffer   s'habiller chaudement   un .... à gaz

les assaillants   assaillir de questions   monter à l'..............................

3 **Complète ces phrases avec des noms terminés par -eau, -au ou -aut.**

Ce gâ.............. au chocolat me fait envie.

Avant de se raser, M. Girard étale la crème avec un bl.............. .

Autrefois, on battait le blé avec un fl.............. .

Ce collier de perles, c'est un véritable jo.............. .

Quand on mange un arti.............., les feuilles tiennent de la place !

Il pleut : tous les élèves se réfugient sous le pr.............. .

4 **Devinettes. Tous les noms se terminent par le son [o].**

Une personne qui n'a qu'un bras.	→ un m...
Petite sonnette attachée au cou des chiens.	→ un g...
Avec lui, on se déplace sur la neige.	→ un t...
Lieu de stockage des produits agricoles.	→ un s...
Mammifère marin qui ressemble à la baleine.	→ un c...
Sans eux, on ne peut pas utiliser une échelle.	→ les b...

5 **Emploie, dans un autre ordre, toutes les lettres du mot en couleur pour former un nom qui complètera la seconde phrase (les e peuvent être accentués).**

L'homme respire aussi par les pores de la peau.

Après un effort soutenu, le .... s'impose.

La dernière feuille morte prit son temps pour tomber.

Chaque matin, les Parisiens se précipitent dans le ....

Le mot chose s'emploie parfois pour remplacer un autre mot.

Les .... se répercutent d'une falaise à l'autre.

6 **Complète la grille avec des noms terminés par -eau ou -au. Tu découvriras dans la colonne A un autre nom terminé par -eau.**

1. Oiseau au plumage très noir.
2. La boîte crânienne l'entoure.
3. Meuble ou pièce où l'on travaille.
4. Cercle de bois ou de plastique pour jouer.
5. Petit cercle de métal que l'on passe au doigt.
6. À l'intérieur d'une cerise ou d'un abricot.
7. Outil pour serrer entre ses mâchoires.

Orthographe 5 — Les noms terminés par les sons [i], [y], [yʀ]

Je retiens !

• Les noms **féminins** terminés par le son [i] s'écrivent **-ie** :
la mairie – une copie – une poulie – la saisie
Exceptions : **la brebis – la fourmi – la nuit – la perdrix – la souris**

• Les noms **féminins** terminés par le son [y] s'écrivent **-ue** :
la morue – la grue – une verrue – une massue
Exceptions : **la tribu – la vertu – la bru – la glu**

• Les terminaisons des noms **masculins** terminés par les sons [i] et [y] sont très variées. Il est donc conseillé de consulter un dictionnaire en cas de doute.
un abri – un circuit – un fusil – un prix – un incendie – un nid – un logis
un début – un revenu – un obus – le reflux – l'affût

• Les noms, **masculins et féminins**, terminés par le son [yʀ] s'écrivent **-ure** :
la gravure – un murmure – la serrure – le mercure
Exceptions : **le fémur – le mur – l'azur – le futur**

---

1 Complète les phrases avec ces noms terminés par le son [i].

pissenlit – étourderie – sonnerie – safari – galerie – géographie – cambouis

La .... est un passage couvert le long d'un édifice.

Norbert fait de nombreuses fautes d'............................... .

Avez-vous déjà goûté à la salade de .... ?

On appelle .... la science qui décrit la Terre.

Ce photographe participe à un .... en Tanzanie.

Le mécanicien a les mains pleines de ....

La .... des cloches a réveillé toute la famille ce matin.

2 Complète chaque phrase avec un nom terminé par le son [i].

Antoine mange son repas de bon a........................... .

Range tes lunettes dans leur é........................... si tu ne veux pas qu'elles se brisent.

Comme les nuages ont disparu, les étoiles illuminent la n........................... d'été.

Les pompiers déroulent leurs tuyaux et éteignent l'i........................... .

Comme il pleut, les passants ouvrent leur p........................... .

Le chasseur a préparé son f........................... et ses cartouches.

Ce c........................... automobile compte plus de trente virages.

Après sa course victorieuse, la jument regagne son é........................... .

3 Complète les phrases avec les noms suivants.

rature – levure – armure – ramure – nature – dorure

On appelle .... l'ensemble des cornes ramifiées d'un cerf.

La .... est un ferment qui permet d'alléger la pâte.

La .... est l'opération par laquelle on recouvre d'or certains objets.

La .... est le trait destiné à barrer un mot.

La .... est l'ensemble des êtres et des choses existant dans l'univers.

L'............................ est l'ensemble des pièces métalliques dont le chevalier était vêtu.

4 Pour chaque nom en couleur, trouve un nom de la même famille terminé par le son [y].

une **statuette** en bronze	installer une .... devant le théâtre
ne pas le **connaître**	un .... frappe à la porte du château
refuser une visite	essuyer un .... définitif
saluer quelqu'un	rendre son .... à un camarade
disparaître en mer	recueillir un .... en pleine mer
perdre son **sang**	s'accrocher comme une ....
retenir un nombre	ne pas oublier la .... de l'opération
débuter une partie de cartes	ne pas manquer le .... du film
contenir du soda	examiner le .... d'un document

5 Trouve des noms, terminés par le son [i] ou [y], de même famille que les deux premiers. N'oublie pas le déterminant.

un colon, colonial	→	sortir, un sortant	→ ....
une récitation, réciter	→	un comédien, comique	→ ....
le mal, maladif	→	crier, criard	→ ....
tenir, tenable	→	voir, visible	→ ....
une masse, massif	→	battre, un battement	→ ....
débuter, un débutant	→	étendre, un étendard	→ ....

Mémo Malin

Pour retenir les exceptions parmi les noms féminins terminés en -u :

Ils vivaient avec leur fils et leur **bru**.
Mais celle-ci voulait quitter cette **tribu**
Qui, par leur attachement, était pis que la **glu**
Alors que l'honnête femme était modèle de **vertu**.

Je retiens !

- Les noms masculins terminés par le son [al] s'écrivent :
  - **al** → un **métal** – un **animal** – un **tribunal**
  - **âle** → un **râle** – un **mâle** – un **châle**

Principales exceptions : **un scandale** – **un vandale** – **un dédale** – **un pétale** – **un cannibale** – **un intervalle**

- Les noms féminins terminés par le son [al] s'écrivent :
  - **ale** → une **sandale** – une **escale** – une **rafale**
  - **alle** → une **dalle** – une **malle** – une **salle**

- Les noms, masculins et féminins, terminés par le son [ul] s'écrivent :
  - **ule** → un **véhicule** – la **mandibule** – un **tentacule**

Exceptions : **le calcul** – **le recul** – **le consul** – **le cumul** – **la bulle** – **le tulle**

Remarque : les noms masculins en **-al** font leur pluriel en **-aux** (**les bocaux** – **les journaux** – **les chevaux**), mais il y a des exceptions (**des bals** – **des carnavals** – **des chacals** – **des festivals** – **des récitals** – **des régals**).

1 **Complète les phrases avec les noms suivants que tu fais précéder des déterminants le ou la.**

rafale – mâle – pétale – cigale – quintal – chacal

.... est un insecte commun dans le Midi de la France.

.... est un mammifère carnivore se nourrissant de charognes.

.... est une partie de la corolle d'une fleur.

.... arrache les volets mal fixés.

.... est une mesure de masse qui vaut cent kilogrammes.

.... de la biche est le cerf.

2 **Complète les phrases avec les noms suivants que tu feras précéder des déterminants un ou une.**

mule – calcul – consul – recul – pilule – rotule

Ce médicament se présente sous la forme d'................................... .

L'os du genou, plat et de forme arrondie, c'est ....

Une addition ou une soustraction, c'est ....

L'espace nécessaire pour bien prendre son élan, c'est ....

Dans un pays étranger, il aide ses compatriotes, c'est ....

Cet animal, né du croisement d'un âne et d'une jument, est ....

3 Complète avec les mots suivants que tu souligneras s'ils sont masculins ou que tu entoureras s'ils sont féminins.

chorale – mygale – escale – finale – initiale – châle

Ce navire en provenance du Sénégal fait .... à Marseille.

Notre équipe a gagné en .... ; nous avons tous reçu une médaille.

L'................................ est la première lettre d'un mot.

Chaque .... était tissé en Inde, par d'habiles ouvrières.

La .... se compose d'une trentaine de chanteurs.

Le venin de .... était mortel avant que l'on ne découvre un remède.

4 Complète les mots suivants et place-les dans les phrases.
Accorde comme il convient.

signal – carnaval – oral – végétal – journal – radical – festival

Le lin, le chanvre sont des .... cultivés pour leurs fibres textiles.

Passionné de biniou, Yvon ne manque jamais aucun des .... bretons.

Ce que préfère Amandine dans les ...., ce sont les cortèges masqués.

Les .... de certains verbes sont modifiés quand on les conjugue.

Le conducteur du TGV respecte scrupuleusement les ....

Les imprimeries de .... sont dévoreuses de papier.

Les .... du baccalauréat ont lieu généralement au mois de juillet.

5 Classe les noms en couleur.

le moteur des **véhicules**

les **opercules** des poissons

les **tentacules** de la pieuvre

les **ventricules** du cœur

les **globules** rouges

la saison des **canicules**

un paquet de **fécule**

les **cellules** des abeilles

collectionner des **capsules**

les **mandibules** de certains parasites

Noms masculins : ....

Noms féminins : ....

mémo Malin

Pour bien retenir les noms masculins en -al faisant leur pluriel en -als :

Pour le **bal** du **carnaval**, je porterai un masque de **chacal**.
Je ne manquerai pas le **festival** et écouterai le **récital** de piano ;
ce sera un véritable **régal**.

Je retiens !

> Seule la consultation d'un dictionnaire permet de savoir si un mot commence par la lettre **h**.
>
> **l'habitude – l'abri**　　　　**le hangar – l'ange**
> **l'hiver – l'ivresse**　　　　**horrible – l'oreille**
>
> Pour les noms :
> – lorsque le nom est précédé de **l'**, le **h** est muet et on fait la **liaison** au pluriel.
> **l'hirondelle → les_hirondelles**　　　　**l'herbe → les_herbes**
> – lorsque le nom est précédé de **le** ou **la**, le **h** est aspiré et il n'y a pas de liaison au pluriel.
> **le hameau → les hameaux**　　　　**la housse → les housses**
>
> À l'intérieur des mots, on peut trouver la lettre **h** muette :
> **malheureux – la menthe – un athlète – une prothèse**

1 **Écris les noms au singulier et tu découvriras un intrus dans chaque colonne : entoure-le.**

les houx .... 　　 les héritages ....

les hêtres .... 　　 les hectares ....

les haies .... 　　 les harmonies ....

les horloges .... 　　 les habits ....

les héros .... 　　 les huîtres ....

les hachures .... 　　 les hauteurs ....

les hérissons .... 　　 les homonymes ....

les haillons .... 　　 les habitants ....

2 **Écris les verbes entre parenthèses à la 1ʳᵉ personne du singulier du présent de l'indicatif.**

(habiter)　　L'été, ... dans une caravane.

(hausser)　　........................... les épaules car je me moque de tes remarques.

(héberger)　　........................... quelques oiseaux pendant les grands froids.

(hisser)　　........................... la valise dans le filet à bagages.

(hocher)　　........................... la tête pour refuser votre proposition.

(hésiter)　　........................... entre deux solutions.

(habituer)　　........................... mon chat à dormir dans sa panière.

3 Consulte un dictionnaire et, si nécessaire, complète les mots avec un **h**.

Le médecin fait .....ospitaliser le patient pour soigner une maladie .....osseuse.

Le plongeur .....arme son fusil sous-marin pour lancer son .....arpon.

En classe, nous .....observons les .....anneaux de l'.....abdomen du .....anneton.

Il valait mieux ne pas se .....asarder dans ce .....ameau .....abandonné.

Le .....urlement du loup fait .....ennir les chevaux.

Une explosion accompagne la rencontre entre l'.....ydrogène et l'.....oxygène.

4 Consulte un dictionnaire et, si nécessaire, complète les mots avec un **h**.

On mesure la t.....empérature de la pièce à l'aide d'un t.....ermomètre.

Le savant a trouvé une mét.....ode co.....érente pour résoudre le problème.

Dans cette cat.....édrale, on trouve de remarquables ant.....iquités.

Comme Rudy a de l'ast.....me, il a l'impression d'avoir un poids sur le t.....orax.

Ces enfants se sont .....égarés dans le labyrint.....e des glaces.

La pant.....ère n'est pas dans la même cage que la .....yène : heureusement !

5 Regroupe ces mots en trois familles (noms, verbes, adjectifs). Devant les noms, tu placeras un article : **le**, **la** ou **l'**.

hiver – historien – harmonie – hivernal – harmoniser – histoire – hiverner – harmonieux – historique

....

....

....

6 Complète ces mots qui commencent par le même préfixe, en fonction de leur définition.

Champ de course pour les chevaux.	un hipp.............................
Ensemble des sports pratiqués à cheval.	l'hipp.............................
Poisson de mer à tête de cheval.	un hipp.............................
Gros mammifère africain qui vit dans les mares.	un hipp.............................

mémo malin

Retrouve quelques mots avec un **h** dans cette comptine.

Pour connaître son avenir,
L'**homme** consulte l'**horoscope** de l'**hebdomadaire**,
Autant, dit le **héron**, interroger le **homard** et le **hérisson** !

Je retiens !

• La lettre **x** se prononce :
– [ks] : **l'explication – une excuse – un taxi – la galaxie**
– [gz] dans les mots commençant par **ex-**, si le **x** est suivi d'une **voyelle** ou d'un **h** : **examiner – l'existence – l'exhibition**

Suivie d'un **c**, la lettre **x** a la valeur d'un [k] dans les mots commençant par **ex-** : **l'excitation – excellent – excentrique**

En fin de mot, les sons [ks] peuvent s'écrire **-x** ou **-xe** :
le silex – le larynx – une taxe – l'annexe

• La lettre **x** est muette :
– quand elle marque le pluriel de certains noms et adjectifs :
des journaux locaux – de nombreux drapeaux
– à la fin de certains mots, même au singulier : **le choix – deux – roux**

---

1 Classe les mots en **couleur**.

expédier un colis   exister depuis longtemps

passer un examen   une crème au goût exquis

explorer une terre inconnue   un exercice difficile

un compte-rendu exact   l'explication d'un mot

des plantes exotiques   exposer des marchandises

une réflexion pertinente   un appartement trop exigu

x se prononce [ks]	x se prononce [gz]
....	....
....	....
....	....

2 Entoure le x final muet des mots, puis écris le féminin des adjectifs.

Ce garçonnet est heureux.   Cette fillette est ....

Le temps est orageux.   La discussion fut ....

Nous sortîmes par un soleil radieux. La mariée apparaît, ...

Cet enfant se révèle très nerveux.   Je ne mange pas de viande ....

Je pèle un fruit juteux.   Tu choisis une poire ....

Que constates-tu ?

....

3 **Complète les mots avec x, xc, cs ou cc.**

un e......ellent travail   un a......ident du travail

a......éder au grenier   a......epter un nouvel emploi

la pédale de l'a......élérateur   l'a......ent circonflexe

le kla......on d'un ta......i   un enfant trop e......ité

être alerté par le to......in   ajouter un préfi......e

un record e......eptionnel   attendre le ma......imum

4 **Classe les mots en couleur.**

Grand-père Félix a soixante ans.   Le Sphinx est au pied de la pyramide.

L'index est plus long que le pouce.   Qui ne connaît pas Astérix ?

La perdrix est de la taille d'un pigeon.   Des pattes ? l'insecte en a six.

Retrouvez la page dix.   Le thorax renferme les poumons.

Quel est le prix de ce bracelet ?   Le lynx a les yeux perçants.

x muet	x prononcé [ks]	x prononcé [s]
....	....	....
....	....	....
....	....	....

5 **Complète par un nom de même famille que les mots en couleur.**

un garçon paisible   apaiser une querelle → faire la ....

choisir un livre   des morceaux choisis → approuver un ....

une corde vocale   vocaliser → avoir une belle ....

se croiser dans l'escalier   des feux de croisement → signer d'une ....

faucher des herbes   un faucheur fatigué → aiguiser une ....

6 **Complète les mots terminés par le son [ks].**

D'un réfle....... étonnant, le conducteur évita la collision.

Je suis perple....... et ne sais quelle direction prendre.

Dans ce garage, chaque voiture a un bo....... à sa disposition.

Les combats de bo....... sont parfois très violents.

mémo malin

On entend [ks].   Alexandre est chauffeur de taxi.

On entend [gz].   Xavier cultive des plantes exotiques.

Je retiens !

Chercher le féminin d'un mot permet parfois de trouver la lettre finale muette :
précise → précis
Attention aux mots féminins en **-euse** : **précieuse → précieux**
On peut aussi chercher un mot de la même famille : **la précision → précis**
En cas de doute, il faut utiliser un dictionnaire.

1 ▸ **Complète le tableau.**

féminin	masculin
une saison chaude	un été ....
une misère	un affreux tableau
une viande délicieuse	un dessert ....
une longue période	un .... moment
une fête	un cri joyeux
une boisson gazeuse	de l'eau à l'état ....
une bête	un taureau furieux
une cliente impatiente	un ....
Elle est sourde et muette.	Il est .... et ....

2 ▸ **Complète les phrases en t'aidant des mots entre parenthèses.**

(hasarder)   J'ai trouvé la solution du problème par ....

(confortable)   M. Larmier apprécie le .... de son salon.

(constater)   Après l'accident, les gendarmes font un ....

(goûteur)   Dans cette soupe, je retrouve le .... du céleri.

(paradisiaque)   Cette île est un vrai .... terrestre.

(sportif)   La natation est un .... complet.

(le paysage)   Le Danemark est un .... de l'Union européenne.

(la persillade)   Mettez un peu de .... sur votre poisson.

(la permission)   Manon vient de réussir son .... de conduire.

3 Trouve deux mots qui appartiennent à la même famille que le mot
en **couleur** ; l'un des mots aura une consonne finale muette.

alourdir un sac   un cartable trop ....   chuter ....

un trait **en pointillé**   la .... d'une chaussure   le .... sur le « i »

embrasser son amie   se casser le ....   nager la ....

une bête **sanguinaire**   un groupe ....   perdre son ....-froid

lancer un **serpentin**   .... dans les herbes   la morsure du ....

ventiler une pièce   brancher un ....   un petit .... frais

un léger **accrochage**   .... un tableau   faire un .... à sa robe

s'adosser au mur   un siège sans ....   avoir mal au ....

4 Dans chaque phrase, souligne les deux mots dont la lettre finale peut être
recherchée soit en mettant le mot au féminin, soit en trouvant un mot
de la même famille.

Exemple : Le <u>toit</u> (la toiture) de cette maison est <u>couvert</u> (couverte) d'ardoises.

Le bateau regagne le port (.........................) en retard (.........................).

Nous sommes arrivées au camp (.........................) par hasard (.........................).

Le client (.........................) jette un regard (.........................) rapide sur les modèles.

Trois (.........................) lionceaux dorment au fond (.........................) de la cage du zoo.

Dans ce pays (.........................), le climat (.........................) est tempéré.

5 Complète la grille avec quatre noms terminés par une consonne muette.
Aide-toi des mots en **couleur**.

1. Nous avons **récité** notre poésie.

2. Je **refuse** ta proposition.

3. Le coquelicot est une fleur **champêtre**.

4. La **tapisserie** est à changer.

Attention aux rapprochements qui peuvent entraîner des erreurs :

tricoter → le tricot	mais	pianoter → le piano
hasarder → le hasard	mais	bazarder → le bazar
la montagne → le mont	mais	horizontal → l'horizon
un buteur → le but	mais	juteux → le jus
réciter → le récit	mais	abriter → l'abri
tapisser → le tapis	mais	favoriser → le favori

mémo malin

Je retiens !

• Certains mots, très employés, ne varient ni en genre, ni en nombre, ni en temps, ni en personne : on dit qu'ils sont **invariables**.

Je le pense aussi. Nous le pensons aussi.

Elle sera aussi belle. Elles étaient aussi belles.

• Pour retenir leur orthographe, on peut parfois les regrouper par séries :

avant – pourtant – devant – dorénavant – auparavant – cependant – maintenant – pendant

tôt – tantôt – bientôt – aussitôt – sitôt – plutôt

• Il ne faut pas confondre les adverbes invariables terminés par **-ment** (**poliment**, **rudement**) avec les noms terminés par **-ment** (**un bâtiment**, **des bâtiment<u>s</u> – un document**, **des document<u>s</u>**) qui, eux, s'accordent.

1 **Écris les mots en couleur au pluriel et fais les accords nécessaires. Puis, tu souligneras le mot invariable de la phrase.**

Le **nuage** approche ; déjà la première **goutte** est tombée.

....

Aujourd'hui, j'achète un nouveau **stylo**.

....

Le **malade** est sorti malgré l'**interdiction** du **docteur**.

....

Aussitôt arrivée, l'**ouvrière** commença son **travail**.

....

2 **Recherche le mot invariable dans chaque phrase, puis indique dans les parenthèses un mot de la liste qui pourrait le remplacer.**

beaucoup – rarement – près de – fréquemment – simultanément – car

Le petit voisin vient souvent nous aider. (...)

Le tracteur s'était arrêté devant l'écurie. (...)

Il y a trop de véhicules garés sur le parking. (...)

Il demande du secours parce que sa mère est blessée. (...)

Ces accidents se sont produits en même temps. (...)

Ses enfants regardent peu la télévision. (...)

3 **Parmi les trois mots invariables proposés, choisis celui qui convient.**

(pendant / tard / peu) Il est .... ; rentrons à la maison.

(vite / alors / depuis) .... ce matin, il pleut.

(longtemps / sous / plutôt) Nous attendons .... au guichet.

(parfois / jusque / gentiment) Jérôme m'a répondu ....

4 **Complète les phrases avec les deux mots entre parenthèses.**
Attention, l'un est un nom, l'autre est un adverbe.

(monument / poliment) ...., nous avons demandé la liste
des .... ouverts le dimanche.

(vêtement / sûrement) S'il cherche bien, il trouvera ....
ses .... d'hiver.

(fragment / dernièrement) .... la radio n'a diffusé que
des .... du discours du Président.

(torrent / rapidement) Les .... alpins déchaînés ont
.... déraciné les jeunes arbustes.

(aboiement / momentanément) Les .... des chiens de garde
cessèrent ....

5 **Remplace les expressions en couleur par des adverbes**
en -amment ou en -emment.

Piétons, traversez la chaussée avec beaucoup de prudence.

....

Avec leur lourd équipement, les scaphandriers avançaient à pas pesants.

....

Les vagues successives heurtent la digue avec beaucoup de violence.

....

D'une manière bruyante, les salariés manifestent contre la fermeture de l'usine.

....

mémo malin

constant / constamment	récent / récemment
méchant / méchamment	patient / patiemment
bruyant / bruyamment	ardent / ardemment

Je retiens !

Les **homonymes** sont des mots qui ont une prononciation **identique**, mais souvent des **orthographes différentes**.

Il faut chercher le **sens** de la phrase pour les écrire correctement.

une goutte de sang – cent mètres – Il s'en va.

sortir sans parapluie – Elle sent le bouquet de lilas.

1 **Dans chaque ligne, souligne les mots qui se prononcent de la même façon.**

la voie ferrée – parler à voix basse – Il n'y voit plus rien.

se diriger vers la gare – un ver de terre – un plumage vert – un verre d'eau

vingt euros – crier en vain – un vin de Bordeaux

le cou de la girafe – un coup de pied – le coût de la vie – Il coud un bouton.

la crème du lait – la laie et le sanglier – être laid comme un pou

le port de Boulogne – un rôti de porc – les pores de la peau

2 **Complète les expressions avec le mot qui convient.**

fin-faim	une .... de loup	attendre la .... du film
chêne-chaîne	une feuille de	offrir une .... en or
pois-poids	écosser des petits	calculer le .... d'un colis
roue-roux	un cheveu	la .... de secours
signe-cygne	un .... de la main	un .... blanc
trait-très	être .... près du but	tracer un ....

3 **Complète les expressions en retirant une lettre ou un accent du mot en couleur pour former un homonyme.**

cuire un poulet   une ceinture en ....

un fruit **mûr**   un .... de pierres

manger du **thon**   nettoyer .... vélo

une **tâche** difficile à réaliser   une .... difficile à effacer

une **salle** à manger   du linge ....

un **plant** de tomate   le .... d'une maison

un **saint** homme   un corps ....

4 Complète les expressions avec un mot homonyme du mot en couleur.

la **selle** du cheval   mettre son grain de ....

avoir mal au **cœur**   chanter en ....

un triste **sire**   de la .... d'abeille

de la confiture de **coing**   un .... de ciel bleu

un œuf à la **coque**   la crête du ....

le **col** de la chemise   un tube de ....

un **cor** de chasse   un maillot de ....

5 Complète chaque ligne par des mots homonymes.

une clé de s...............   les arêtes de la s...............   un s............... carrelé

le s............... du roi   un s............... d'eau   le s............... en hauteur

c............... journée   s............... jours   un s............... de table

chacun pour s...............   une écharpe de s...............   un s.........-disant médecin

avoir le t...............   t............... mieux !   une piqûre de t...............

le c......... de Monte-Cristo   un c............... de fées   Le c............... est bon.

6 Place les mots en italique en face des mots de la même famille.

un ventilateur – une poignée – un pointillé – la morsure – chanter – vendre –
champêtre – mortel

un champ ➜ ....   un chant ➜ ....

le vent ➜ ....   Il vend. ➜ ....

un point ➜ ....   un poing ➜ ....

le mors ➜ ....   le mort ➜ ....

---

mémo Malin

Retiens ces petites comptines pour distinguer des mots homonymes.

Il était une **fois**
Un petit bonhomme de **foi**,
Qui vendait du **foie**,
Dans la ville de **Foix**.

Un bon joueur de **hockey**,
N'a jamais le **hoquet** !

Un traîneau, tiré par des **rennes**,
Emporte la jeune **reine**.

Tous les enfants, la main sur le **cœur**,
Reprennent la chanson en **chœur**.

À ton tour, invente quelques comptines avec les mots suivants :
le lac ; la laque – l'ancre ; l'encre – la date ; la datte – etc.

orthographe

Dictées Bilans

Recopie les mots mal orthographiés sur une feuille à part

1 *La mode*

2 *Préparatifs de randonnée*

3 *La reine du calcul*

4 *Un cuisinier en herbe*

5 *Le petit train à vapeur*

En convalescence

Un voyage étonnant

Un futur archéologue

Sous les eaux

Satisfait malgré tout !

À la campagne

Je retiens !

• Un nom est du genre masculin si on peut placer devant lui un déterminant masculin ; il est du genre féminin si on peut placer un déterminant féminin.
le carrefour – un garage – le trottoir ; la ville – une gare – la foule
• On forme souvent le féminin des noms en ajoutant un **e** au nom masculin.
un ami → une amie ; un commerçant → une commerçante
• Parfois, le passage du masculin au féminin s'accompagne d'une transformation de la terminaison du nom masculin.
un ouvrier → une ouvrière ; un coiffeur → une coiffeuse ;
un acteur → une actrice ; un comte → une comtesse ;
un champion → une championne

1 **Complète avec un (le) ou une (la). En cas de doute, utilise un dictionnaire.**

.... manche de couteau et .... manche de manteau

construire .... tour en pierre et faire .... tour de la cour

.... moule dans sa coquille et .... moule à gâteau

.... poste de télévision et .... poste où l'on achète des timbres

.... vase de fleurs et .... vase sur le bord du fleuve

2 **Complète chaque paire de mots avec le nom féminin ou avec le nom masculin.**

un passager   → une ....   un voisin   → une ....

un nageur   → une ....   un .... → une monitrice

un .... → une sorcière   un .... → une lionne

un chat   → une ....   un prince   → une ....

un .... → une directrice   un .... → une joueuse

3 **Complète les phrases avec le féminin des noms en couleur.**

Le **chanteur** et la .... forment un duo extraordinaire.

Le **boulanger** se lève à trois heures et la .... à six.

La .... évita l'obstacle, mais le **conducteur** ne put freiner.

La .... veille pendant que le **tigre** va boire au fleuve.

Mais non, Caramel n'est pas une ...., c'est un **chien** !

L'**instituteur** surveille la cour et l'...................................... le préau.

4 **Écris les phrases en mettant les noms en couleur au féminin.**

Ce **sportif** est en pleine forme. → ....

Arrêtez de crier comme un **diable** ! → ....

Les policiers recherchent un **voleur**. → ....

Vous êtes un **menteur**. → ....

Le **gaucher** surprend son adversaire. → ....

J'aperçois un **inconnu**. → ....

C'est un **spectateur** fidèle ! → ....

5 **Trouve la syllabe finale commune à chacune des colonnes de noms féminins.**

une couturi .... une traduct............ une comt.............. une pharmaci.........

une cavali.............. une éducat............ une ân.................. une gardi...............

une étrang.............. une présentat......... une maîtr............... une collégi............

6 **Complète le tableau suivant. En cas de doute, utilise un dictionnaire.**

pays	nom des habitants	nom des habitantes
la France	....	....
l'Italie	....	....
l'Angleterre	....	....
l'Espagne	....	....
l'Allemagne	....	....
la Belgique	....	....
le Danemark	....	....
la Norvège	....	....
l'Autriche	....	....

mémo malin

Pour retenir les principales terminaisons du féminin,
tu peux mettre au féminin la phrase suivante.

« Ah ! quel **gamin** je fais, dit le **sorcier** à l'**ogre** : ce **passant** est devenu **chanteur**
au lieu d'être un **admirateur** de mes **lions** ! »

« Ah ! quelle **gamine** je fais, dit la **sorcière** à l'**ogresse** : cette **passante** est
devenue **chanteuse** au lieu d'être une **admiratrice** de mes **lionnes** ! »

Je retiens !

• Pour former le pluriel des noms, on ajoute souvent un **s**, et parfois un **x**, au nom singulier.

les jours – les tables – les forêts

les tuyaux – les cheveux – les anneaux – les eaux – les peaux

(Il faut connaître quelques exceptions : **des bleus – des landaus – des pneus**.)

• La plupart des noms terminés par **-al** au singulier font leur pluriel en **-aux**.

**le journal → les journaux – le signal → les signaux –
le métal → les métaux**

Exceptions : **des bals, des chacals, des festivals, des récitals, des régals**

• Quelques noms terminés par **-ail** font leur pluriel en **-aux**.

le vitrail → les vitraux – le travail → les travaux

• Les noms terminés par **-ou** au singulier font leur pluriel en **-ous**.

les fous – les sous – les clous – les trous

Exceptions : **les bijoux, les cailloux, les choux, les genoux, les hiboux, les joujoux, les poux**

---

1 Complète les mots suivants par **x** ou **s**.

les jeu.... des oiseau....

des monceau.... de copeau....

des tonneau.... en chêne

les essieu.... des tombereau....

des clou.... et des marteau....

les morceau.... des drapeau....

les roue.... des landau....

les boyau.... ou les pneu....

les naseau.... des taureau....

des bleu.... aux yeu....

des bijou.... et des anneau....

des ciseau.... et des couteau....

2 Complète les mots des phrases suivantes par **x** ou **s**.

Les jardinier.... utilisent souvent des cordeau.... et des râteau.... .

Même les eau.... des ruisseau.... peuvent entraîner les roue.... des moulin.... .

Les chameau.... traversent les désert.... sans boire.

Avoir des pou.... dans les cheveu...., c'est ennuyeux.

En entendant les hibou...., M. Robert tira les verrou.... de sa porte.

Les kangourou.... vivent en Australie et les tatou.... en Amérique.

Les vignoble.... des coteau.... sont hérissés de pieu.... pour soutenir les cep.... .

Les matou.... ont fait des trou.... dans les rideau.... .

3 Complète les mots suivants par -als ou -aux.

des loc............. inoccupés

des can............. navigables

des végét............. bien verts

une erreur dans les tot.............

une collection de minér.............

les articles des journ.............

des mét............. précieux

les b............. du 14 Juillet

les vautours et les chac.............

des festiv............. de musique

4 Complète les mots suivants par -ails ou -aux.

agiter des évent.............

fermer les port.............

brosser les poitr............. des chev............

réaliser des trav............. importants

acheter des ém............. colorés

protéger les cor.............

réparer les gouvern.............

remarquer tous les dét.............

admirer les vitr............. de l'église

longer les r............. de la voie ferrée

5 Écris les noms en **couleur** au pluriel et fais les accords nécessaires.

Le **coucou** est le seul **oiseau** qui ne bâtisse pas de nid.

....

Dans le **milieu** de la recherche, on prépare le **vaisseau** pour aller sur Mars.

....

Le **général** inspecte les troupes avant le **défilé**.

....

Le **carnaval** est une **occasion** d'exprimer la liesse de la **foule**.

....

6 Dans chaque ligne, un des mots ne forme pas
son pluriel comme les autres. Entoure-le.

le cheval – le quintal – le régal – le cristal – le bocal

un adieu – un neveu – un pneu – un enjeu – un lieu

mémo malin

P	liables	comme des genoux	P	anachés	comme des coraux
L	aids	comme des poux	L	aqués	comme des émaux
U	tiles	comme des hiboux	U	sagés	comme des soupiraux
R	ouges	comme des choux	R	approchés	comme des vantaux
I	nusables	comme des joujoux	I	mités	comme des vitraux
E	légants	comme des bijoux	E	xécutés	comme des travaux
L	ourds	comme des cailloux	L	isibles	comme des baux

Je retiens !

Dans un groupe du nom, le ou les adjectifs s'accordent toujours, en genre et en nombre, avec le nom chef de groupe.

deux petites châtaignes seules, desséchées mais savoureuses
un seul petit marron desséché, mais savoureux

Quand un nom est complété par un autre nom, ce dernier est au singulier ou au pluriel selon le sens.

un seau d'eau (avec de l'eau)   **un seau de cailloux (avec des cailloux)**

Quand chacun des noms est qualifié, on veillera à accorder les adjectifs avec le nom correspondant.

de grands seaux d'eau fraîche   **un grand seau de cailloux blancs**

---

1   **Complète les expressions avec les adjectifs que tu accorderas.**

(gros–vert–noir)   quelques .... olives ....
ou ....

(nouveau–aéré–agencé)   de .... locaux .... et
bien ....

(grand–métallique–double)   deux .... échelles ....
....

(dangereux–signalé)   une intersection .... et mal
....

(chaud–ensoleillé)   une .... journée ....

---

2   **Souligne les noms chefs de groupe et accorde les adjectifs.**

De long.......... insomnies répété.......... rendaient ses nuits interminable.......... .

Le lierre s'accroche aux murs par de multiple.......... crampons chevelu.......... .

Des satellites artificiel.......... tournent autour de notre bon.......... vieil.......... Terre.

Les chevaux les plus résistant.......... participent à la premier......... course hivernal.......... .

Une violent.......... tempête dévastat.......... a ruiné cette région côtier.......... .

Samira ôtait un à un les long.......... pétales blanc.......... de la marguerite.

Quelques curieu......... plantes médicinal.......... pendent au plafond de l'herboristerie.

Orthographe → *dictées à faire pp. 26-27*

1 La mode
Comme elle pénètre dans tous les foyers, la télévision influence la façon de s'habiller des filles et des garçons. Mitraillés par les images présentant les chanteurs ou les acteurs, les adolescents adoptent leurs vêtements : maillots ajustés et soyeux, tissus à grosses rayures, pantalons à paillettes, vestes serrées à la taille et même chapeaux d'où pendent des médailles !

2 Préparatifs de randonnée
Dès la première lueur du soleil levant, on comprit qu'une belle journée printanière se préparait. Aussitôt, chacun rechercha sa musette pour y placer la boisson et la nourriture suffisantes pour une journée de randonnée sur les flancs qui dominent la vallée de l'Isère. Cependant, on attendit que la chienne ait terminé son écuelle journalière.

3 La reine du calcul
Avec cette nouvelle calculatrice, tu n'as plus le droit de compter sur tes doigts. Fini le désarroi des opérations difficiles. Son faible poids et la simplicité de son emploi te combleront de joie. N'attends pas ! Pour trois euros, son envoi par la poste est assuré : c'est l'affaire du mois !

4 Un cuisinier en herbe
Maxime vient d'être élu « Graine de chef ». Pour cela, il a préparé un repas savoureux : des escargots persillés, un gigot d'agneau accompagné de haricots blancs et un gâteau au cacao arrosé d'un sirop d'abricot. Les convives sont en admiration devant le brio de ce jeune héros de la cuisine française.

5 Le petit train à vapeur
La nuit était presque tombée, alors que le petit train n'avait pas encore terminé le circuit organisé par la mairie de Gauquier. Avec l'énergie du désespoir, la locomotive haleta à la sortie du virage et d'une série de tunnels ténébreux. Elle sembla pester contre le retard lorsqu'elle arriva enfin en bordure d'un long quai avant la fermeture de la gare.

6 En convalescence
Au fil des jours qui passaient, Émilie se sentait bien mieux. Sa rotule la faisait moins souffrir et d'après ses calculs, elle pourrait reconduire son véhicule pour se rendre au festival généralement organisé par les responsables de la chorale locale. Plus sereine, elle remit son châle sur les épaules et ferma les yeux.

7 Un voyage étonnant
Cette cassette vidéo te permettra d'oublier ton horizon habituel sans quitter ton habitation. Tu feras une merveilleuse leçon de géographie. Des images phénoménales te feront haleter. N'hésite pas, prends de la hauteur et découvre de nouveaux espaces.

8 Un futur archéologue
Maxime est un excellent élève qui s'intéresse aux vestiges abandonnés par les hommes préhistoriques. Au cours de ses excursions, il explore tous les terrains. Dès qu'il découvre un silex, il est surexcité, commence par s'exclamer puis il examine avec une extrême attention le trésor découvert. Plus tard, c'est certain, il sera archéologue.

9 Sous les eaux
La truite se laisse couler jusqu'au fond de l'eau puis elle glisse entre deux galets blancs, arrondis par le flot continu du courant. Si un petit poisson approche, elle gobe l'imprudent et regagne son abri. Les nageoires au repos, l'œil vigilant, elle attend son prochain repas.

Textes des dictées bilans

10 Satisfait malgré tout !

Le plus souvent, il se faisait patiemment chauffer une soupe et parfois cuire un œuf sur le petit fourneau de fonte. Assis sur une chaise récupérée dans une brocante voisine, il mangeait lentement sur la petite table basse offerte généreusement par un ami. Seul, il se sentait un peu honteux, mais n'enviait absolument pas le triste taudis de ses confrères du quartier.

11 À la campagne

Après un long voyage, la famille arrive enfin dans le camp où s'alignent quelques tentes entre un bois de charmes et un étang aux mille roseaux. Quand Antoine découvre ce paradis de verdure, il étend les bras et s'écrie : « Enfin, je respire l'air pur à pleins poumons. »

Grammaire → *dictées à faire pp. 60-61*

12 Une vocation précoce

Je voudrais devenir maîtresse, répète sans cesse Céline à la directrice de l'école avant son entrée en sixième, car l'an prochain elle sera collégienne. Voilà une jeune fille qui pense qu'apprendre aux élèves à devenir des citoyens et des citoyennes responsables, c'est peut-être difficile, mais que c'est indispensable pour bien vivre ensemble.

13 Une peur irraisonnée

Un hiver, alors que je n'étais pas plus haut que les soupiraux de la cave et que je sautais sur les genoux de mon père, mon frère a voulu m'emmener voir des chevaux. J'ai eu si peur de ces grands animaux qui crachaient la vapeur par leurs naseaux que depuis, le seul bruit de leurs sabots me fait dresser les cheveux sur la tête !

14 Un fruit méconnu

Le pomélo jaune ou rose est un cousin du pamplemousse. Son épaisse peau le préserve de la chaleur ; c'est indispensable pour la sauvegarde de ses vitamines. Associées à de petits morceaux d'avocat, les fines tranches de pomélo, que vous arroserez de jus de citron vert, vous garantissent un mets succulent pendant tout l'hiver.

15 Un jeune imprudent

Pourquoi Colin s'aventura-t-il sous son lit, une bougie à la main ? Que cherchait-il ? Il ne saurait l'expliquer. D'ailleurs, la question ou la remontrance devinrent vite inutiles puisque une flamme et un nuage de fumée cernèrent l'imprudent qui hurla si fort que sa mère et son père accoururent sans tarder. La frayeur et le remords furent sa seule punition.

16 Sur le quai de Marseille

Les porte-conteneurs sont chargés selon un plan précis. La cargaison est répartie avec minutie et les marchandises les plus lourdes ne sont pas toutes placées à l'avant ou à l'arrière. Les fixations ne sont pas oubliées lors des contrôles avant le départ ; en effet, si l'une d'elles venait à céder, le cargo serait déséquilibré.

17 Migration

Les cygnes sauvages ont volé toute la nuit. À l'aube, ils ont tournoyé au-dessus des étangs gelés que la neige a recouverts d'une épaisse couche blanche. Ils ont ainsi trouvé leur refuge hivernal qu'ils ont aussitôt envahi et empli de leurs cris. Quand ils auront récupéré toutes leurs forces, ils partiront à la recherche de leur nourriture.

18 Une exploitation inconsidérée

Ces casiers, désormais inutiles, qui s'empilent sur les quais révèlent que l'île a trop exploité ses fonds marins connus pour la variété de ses crustacés. Aussi, n'est-on pas étonné aujourd'hui de rencontrer tous ces bateaux échoués et ces groupes ne disant mot. Chaque marin pense à ses pêches miraculeuses au cours desquelles il sortait des centaines de langoustes ou de crabes.

19   Un élevage de poulets

M. Courtois entre dans le poulailler où les poulets attendent les poignées de maïs et de pain trempé qu'il leur lance chaque matin. Dressés sur leurs ergots, bouffant leurs plumes, les coqs restent à l'écart, sachant qu'en dernier lieu, M. Courtois leur jettera leur part spéciale de nourriture. Toutes les volailles sortiront ensuite dans le pré où elles chercheront des vers.

Conjugaison → *dictée à faire p. 78-79*

20   Vacances à la campagne

Chaque année, pour les vacances, nos cousins renouvellent leur invitation. Les rivières vers lesquelles nous nous engageons recèlent des centaines de truites. À l'aurore, je me fourvoie parfois dans les sentiers ombragés où, avec l'observation des insectes, je ne m'ennuie jamais. Mais le plaisir suprême, c'est notre sieste sur un lit de fougères que nous amoncelons sous le châtaignier centenaire.

21   Naïveté de l'enfant

Autrefois, on riait de notre naïveté mais nous l'ignorions. En effet, nous croyions aux fables les plus simples ; c'était le charme de la jeunesse. Nous recopiions des textes mystérieux pour sauver des lutins ; on nous encourageait à utiliser des encres dites magiques, mais nous ne nous méfiions pas assez des sorts que lançaient de méchantes sorcières !

22   Spéléologues en détresse

Prisonnière du gouffre infernal, la petite équipe envisage toutes les solutions. « D'abord, nous essaierons de dégager les rochers effondrés pendant que Bob viendra nous éclairer avec sa lampe. Ensuite, je m'appuierai sur ce bloc, et ferai une courte échelle à Lucas qui s'insinuera dans l'orifice dégagé. De toute façon, nous n'oublierons jamais cette aventure ! »

23   La foire du Trône

Malika et Sandra arrivèrent dès l'ouverture de la foire. D'abord, elles firent quelques tours de manège. Puis elles voulurent monter sur le grand huit. Là, elles connurent le grand frisson. Malika tint ensuite à pénétrer dans le palais des glaces où elles se perdirent ; heureusement le propriétaire les délivra au bout d'une demi-heure.

24   Exploration

Gautier et Romain avaient quitté le sentier qui menait à la masure abandonnée, puis ils avaient contourné un fourré de ronces entremêlées. Soudain, le plus jeune s'arrêta net, pétrifié, comme si un regard humain avait fasciné cet aventurier amateur. « Avance, cria Gautier, tu n'auras plus peur quand tu auras compris que ce n'est qu'une chouette ! »

25   Réalité ou fiction ?

« Mesdames et messieurs, si vous entriez sous mon chapiteau, vous découvririez mes animaux savants, je vous présenterais des poissons volants et vous verriez un foulard se transformer en colombe. Si vous veniez en famille, je confierais à votre dernier fils quelques-uns de mes secrets, et votre fille pourrait faire disparaître un éléphant dans un dé à coudre, foi de magicien ! Approchez, approchez ! »

26   Surprise assurée

« Pour ton anniversaire, je te conseille de présenter un tour de magie à tes amies. Écoute-moi bien. Prends un verre d'eau. Remplis-le à ras bord. Recouvre-le d'un morceau de carton, appuie légèrement. Montre à tes amies que rien n'est collé. Retourne alors le verre rapidement et lâche le carton. Tout le monde constatera alors que l'eau ne s'écoule pas. »

27   Un beau cadeau

« Pour tes quinze ans, toute la famille se réunira pour t'offrir un poney. Mais il faut que tu saches le soigner. Un poney, il faut que tu le nourrisses et que tu fasses sa litière régulièrement. Après chaque sortie, il est souhaitable que tu le panses toi-même et que tu tiennes le dessous de ses sabots en bon état. Sinon, il faudra qu'on le confie à quelqu'un d'autre ! »

1 Le son [j] (-ill-, -y-, -ll-)

1 la ville – un paysan – tranquille – un millimètre : dans ces quatre mots, on entend le son [i] et non le son [j].

2 Nous allons **rayer** Guillaume de la liste des participants. – À la vue du serpent, Albert pousse un cri de **frayeur**. – Tu me gênes, va jouer du violon **ailleurs** ! – Le jardinier devra **tailler** les rosiers avant la fin du mois. – J'écris mon nom avec un **crayon** bleu. – Lucie porte une chaîne avec un **médaillon** en argent.

3 Je vais **envoyer** un colis à Noémie. – Avant d'acheter un survêtement, Fred doit l'**essayer**. – Le dimanche après-midi, Kevin a peur de s'**ennuyer**. – Après la fête, il faut **balayer** la salle. – On ne devrait pas **employer** trop de mots familiers. – Pour **rayer** une vitre, on peut utiliser un diamant. – **Appuyer** sur le champignon signifie accélérer.

4 ralentir par temps de brouillard – cueillir des cerises – fêter joyeusement son anniversaire – se cacher dans le feuillage – le château de Versailles – un caillot de sang – le royaume de France – les consonnes et les voyelles – les rayures du tissu – des papillons exotiques – ramasser des coquillages – payer son loyer régulièrement – les devoirs du citoyen – s'habiller chaudement – un discours ennuyeux – voyager à l'étranger.

5 le poulailler – le paillasson – un déraillement – le sillon – le billard – les tenailles.

2 Les consonnes doubles

1 un drapeau/un napperon – un militaire/un millier – un téléphone/le tonneau – un parachute/une goutte – parisien/arriver – une tomate/la pommade – l'aluminium/allumer.

2 la carie d'une molaire – une balle de tennis – le décollage de l'avion – un fleuve allemand – une feuille de calepin ;
applaudir un acteur de cinéma – aplatir la tête

d'un clou – s'échapper de la cage du zoo – un chapeau pointu – attraper la grippe ;
ne pas avoir de monnaie – un violent coup de tonnerre – rencontrer sa nouvelle voisine – une goutte de vinaigre – se savonner les mains ;
la nourriture de bébé – escalader une paroi abrupte – manger des carottes râpées – un vent furieux – arroser les géraniums.

3 L'orage fut violent et la grêle a brisé les vitres de la salle à manger.
La pâtissière prépare des gâteaux ; les invités vont se régaler !
La panthère est souvent considérée comme une bête féroce.
Le vétérinaire examine la chienne blessée ; il va la soigner.
Les enquêteurs ont arrêté l'auteur du vol des bijoux de la reine.
La vipère s'est dissimulée dans les fougères ou même dans les bruyères.

4 n'avoir guère d'appétit – déclarer la guerre à un pays ;
remplir une malle en osier – connaître le nom du mâle de la jument ;
Il arrête de chanter. – avaler une arête de poisson ;
porter un pantalon sale – entrer dans la salle de spectacle ;
couper deux mètres de tissu – ne pas hésiter à mettre un anorak.

5 Ces arènes sont très **anciennes**, car datant de l'époque romaine. – La grande sœur élève son jeune frère avec une douceur **maternelle**. – Ce télescope géant a permis de découvrir de **nouvelles** planètes. – Les îles d'Yeu et de Noirmoutier sont au large de la côte **vendéenne**. – Alexia est heureuse. Depuis la rentrée, elle est **lycéenne**. – Je ne peux pas boire cette tisane ; elle est bien trop **amère**.

6 un volcan – être honteux – pulmonaire – du calcaire – doubler – un insigne – lointain – charmer – un diplôme – le lampion – un mensonge – la distance – la diction – le pétrole – un morceau – déplacer.

3 Les noms terminés par le son [wa]

1 un roi – la soie – un toit – une croix – un envoi – une noix – un convoi – une proie – un villageois – un choix – un beffroi – un carquois – un sous-bois – un désarroi – une oie – une courroie – un émoi – une paroi – un maladroit – un détroit.

2 J'appris la vérité par un témoin digne de foi. – On ne se comprend pas quand on parle tous à la fois. – William est alité pour une crise de foie. – L'ingénieur est accablé sous le poids des responsabilités. – La poix est une substance collante faite avec de la résine et du goudron. – Les pois de senteur ont envahi le grillage.

3 Armés de porte-voix, les manifestants défilent cours Gambetta. – Protégées par un avant-toit, les motos sont à l'abri de la pluie. – M. Langlois est triste, c'est un vrai rabat-joie. – Quel ravissant petit chez-soi ! – Dans cette région industrielle, le plein-emploi est assuré. – Les gendarmes ont arrêté un dangereux hors-la-loi.

4 réaliser un exploit – le mois d'avril – le droit de vote – montrer du doigt – un feu de bois.

5 De rocher en rocher, le chamois fuit les chasseurs. – Par l'odeur désagréable qu'il dégage, le putois mérite bien son nom. – L'anchois, petit poisson de mer, s'apprécie dans les salades. – Cet oiseau palmipède est aussi connu par le jeu de l'oie.

6 un tournoi – un poids – un endroit – un convoi – un choix – un effroi – une paroi – une loi.

7 mettre quelqu'un sur la bonne voie – obéir au doigt et à l'œil – ne faire ni chaud ni froid – travailler pour le roi de Prusse – mettre en garde une fois pour toutes – être la proie des flammes – avoir un poids sur l'estomac – quelqu'un se met hors-la-loi – s'en donner à cœur joie – n'avoir que l'embarras du choix.

4 Les noms terminés par le son [o]

1 la dinde → le dindonneau – la tourterelle → le tourtereau – la perdrix → le perdreau – la chèvre → le chevreau – la lionne → le lionceau – la brebis → l'agneau – la souris → le souriceau – la renarde → le renardeau.

2 périr sur l'échafaud – faire un saut périlleux – une faux – le taux d'intérêt – un réchaud à gaz – monter à l'assaut.

3 Ce gâteau au chocolat me fait envie. – Avant de se raser, M. Girard étale la crème avec un blaireau. – Autrefois, on battait le blé avec un fléau. – Ce collier de perles, c'est un véritable joyau. – Quand on mange un artichaut, les feuilles tiennent de la place ! – Il pleut : tous les élèves se réfugient sous le préau.

4 un manchot – un grelot – un traîneau – un silo – un cachalot – les barreaux.

5 (pores) Après un effort soutenu, le repos s'impose. – (morte) Chaque matin, les Parisiens se précipitent dans le métro. – (chose) Les échos se répercutent d'une falaise à l'autre.

6

	A					
1	C	O	R	B	E	A	U
2		C	E	R	V	E	A	U
3		B	U	R	E	A	U
4	C	E	R	C	E	A	U
5	A	N	N	E	A	U
6	N	O	Y	A	U
7	E	T	A	U

5 Les noms terminés par les sons [i], [y], [yʀ]

1 La galerie est un passage couvert le long d'un édifice. – Norbert fait de nombreuses fautes d'étourderie. – Avez-vous déjà goûté à la salade de **pissenlit** ? – On appelle **géographie** la science qui décrit la Terre. – Ce photographe participe à un **safari** en Tanzanie. – Le mécanicien a les mains pleines de **cambouis**. – La **sonnerie** des cloches a réveillé toute la famille ce matin.

2 Antoine mange son repas de bon a**ppétit**. – Range tes lunettes dans leur é**tui** si tu ne veux pas qu'elles se brisent. – Comme les nuages ont disparu, les étoiles illuminent la n**uit** d'été. – Les pompiers déroulent leurs tuyaux et éteignent l'**incendie**. – Comme il pleut, les passants ouvrent leur p**arapluie**. – Le chasseur a préparé son f**usil** et ses cartouches. – Ce c**ircuit** automobile compte plus de trente virages. – Après sa course victorieuse, la jument regagne son é**curie**.

3 On appelle **ramure** l'ensemble des cornes ramifiées d'un cerf. – La **levure** est un ferment qui permet d'alléger la pâte. – La **dorure** est l'opération par laquelle on recouvre d'or certains objets. – La **rature** est le trait destiné à barrer un mot. – La **nature** est l'ensemble des êtres et des choses existant dans l'univers. – L'**armure** est l'ensemble des pièces métalliques dont le chevalier était vêtu.

4 installer une **statue** devant le théâtre – un **inconnu** frappe à la porte du château – essuyer un **refus** définitif – rendre son **salut** à un camarade – recueillir un **disparu** en pleine mer – s'accrocher comme une **sangsue** – ne pas oublier la **retenue** de l'opération – ne pas manquer le **début** du film – examiner le **contenu** d'un document.

5 la colonie – la sortie – le récit – la comédie – la maladie – le cri – la tenue – la vue – la massue – la battue – le début – l'étendue.

6 Les noms terminés par [al] et [yl]

1 **La cigale** est un insecte commun dans le Midi de la France. – **Le chacal** est un mammifère carnivore se nourrissant de charognes. – **Le pétale** est une partie de la corolle d'une fleur. – **La rafale** arrache les volets mal fixés. – **Le quintal** est une mesure de masse qui vaut cent kilogrammes. – **Le mâle** de la biche est le cerf.

2 Ce médicament se présente sous la forme d'**une pilule**. – L'os du genou, plat et de forme arrondie, c'est **une rotule**. – Une addition ou une soustraction, c'est **un calcul**. – L'espace nécessaire pour bien prendre son élan, c'est **un recul**. – Dans un pays étranger, il aide ses compatriotes, c'est **un consul**. – Cet animal, né du croisement d'un âne et d'une jument, est **une mule**.

3 Ce navire en provenance du Sénégal fait **escale** à Marseille. – Notre équipe a gagné en **finale** ; nous avons tous reçu une médaille. – L'**initiale** est la première lettre d'un mot. – Chaque **châle** était tissé en Inde, par d'habiles ouvrières. – La **chorale** se compose d'une trentaine de chanteurs. – Le venin de la **mygale** était mortel avant que l'on ne découvre un remède.

4 Le lin, le chanvre sont des **végétaux** cultivés pour leurs fibres textiles. – Passionné de biniou, Yvon ne manque jamais aucun des **festivals** bretons. – Ce que préfère Amandine dans les **carnavals**, ce sont les cortèges masqués. – Les **radicaux** de certains verbes sont modifiés quand on les conjugue. – Le conducteur du TGV respecte scrupuleusement les **signaux**. – Les imprimeries de **journaux** sont dévoreuses de papier. – Les **oraux** du baccalauréat ont lieu généralement au mois de juillet.

5 noms masculins : véhicules – opercules – tentacules – ventricules – globules ;
noms féminins : canicules – fécule – cellules – capsules – mandibules.

7 La lettre h

1 le houx – le hêtre – la haie – l'horloge – le héros – la hachure – le hérisson – le haillon ; l'héritage – l'hectare – l'harmonie – l'habit – l'huître – la hauteur – l'homonyme – l'habitant.

2 L'été, j'**habite** dans une caravane. – Je **hausse** les épaules car je me moque de tes remarques. – **J'héberge** quelques oiseaux pendant les grands froids. – **Je hisse** la valise dans le filet à bagages. – **Je hoche** la tête pour refuser votre proposition. – **J'hésite** entre deux solutions. – **J'habitue** mon chat à dormir dans sa panière.

3 Le médecin fait **h**ospitaliser le patient pour soigner une maladie osseuse. – Le plongeur arme son fusil sous-marin pour lancer son **h**arpon. – En classe, nous observons les anneaux de l'abdomen du **h**anneton. – Il valait mieux ne pas se **h**asarder dans ce **h**ameau abandonné. – Le **h**urlement du loup fait **h**ennir les chevaux. – Une explosion accompagne la rencontre entre l'**h**ydrogène et l'oxygène.

4 On mesure la température de la pièce à l'aide d'un t**h**ermomètre. – Le savant a trouvé une mét**h**ode co**h**érente pour résoudre le problème. – Dans cette cat**h**édrale, on trouve de remarquables antiquités. – Comme Rudy a de l'ast**h**me, il a l'impression d'avoir un poids sur le t**h**orax. – Ces enfants se sont égarés dans le labyrint**h**e des glaces. – La pant**h**ère n'est pas dans la même cage que la **h**yène : heureusement !

5 noms : l'hiver – l'historien – l'harmonie – l'histoire ;
verbes : harmoniser – hiverner ;
adjectifs : hivernal – harmonieux – historique.

6 champ de course pour les chevaux : un hipp**odrome** – ensemble des sports pratiqués à cheval : l'hipp**isme** – poisson de mer à tête de cheval : un hipp**ocampe** – gros mammifère africain qui vit dans les mares : un hipp**opotame**.

8 La lettre x

1 **x** se prononce [ks] : expédier – exquis – explorer – explication – exposer – réflexion ;
x se prononce [gz] : exister – examen – exercice – exact – exotiques – exigu.

2 (heureux) Cette fillette est **heureuse**. – (orageux) La discussion fut **orageuse**. – (radieux) La mariée apparaît, **radieuse**. – (nerveux) Je ne mange pas de viande **nerveuse**. – (juteux) Tu choisis une poire **juteuse**.
On constate que le féminin des adjectifs terminés par **x** se fait en **se**.

3 un e**x**cellent travail – un a**cc**ident du travail – a**cc**éder au grenier – a**cc**epter un nouvel emploi – la pédale de l'a**cc**élérateur – l'a**cc**ent circonflexe – le kla**x**on d'un ta**x**i – un enfant trop e**x**cité – être alerté par le to**cs**in – ajouter un préfi**x**e – un record e**x**ceptionnel – attendre le ma**x**imum.

4 **x** muet : perdrix – prix – yeux ;
x prononcé [ks] : Sphinx – index – Astérix – thorax – lynx ;
x prononcé [s] : soixante – six – dix.

5 faire la **paix** – approuver un **choix** – avoir une belle **voix** – signer d'une **croix** – aiguiser une **faux**.

6 D'un réfle**x**e étonnant, le conducteur évita la collision. – Je suis perple**x**e et ne sais quelle direction prendre. – Dans ce garage, chaque voiture a un bo**x** à sa disposition. – Les combats de bo**x**e sont parfois très violents.

9 Des lettres finales muettes

1 un été **chaud** – une misère **affreuse** – un dessert **délicieux** – un **long** moment – une fête **joyeuse** – de l'eau à l'état **gazeux** – une bête **furieuse** – un **client impatient** – Il est **sourd** et **muet**.

2 J'ai trouvé la solution du problème par **hasard**. – M. Larmier apprécie le **confort** de son salon. – Après l'accident, les gendarmes font un **constat**. – Dans cette soupe, je retrouve le **goût** du céleri. – Cette île est un vrai **paradis** terrestre. – La natation est un **sport** complet. – Le Danemark est un **pays** de l'Union européenne. – Mettez un peu de **persil** sur votre poisson. – Manon vient de réussir son **permis** de conduire.

3 un cartable trop <u>lourd</u>/chuter <u>lourdement</u> – la <u>pointure</u> d'une chaussure/le <u>point</u> sur le « i » – se casser le <u>bras</u>/nager la <u>brasse</u> – un groupe <u>sanguin</u>/perdre son <u>sang</u>-froid – <u>serpenter</u> dans les herbes/la morsure du <u>serpent</u> – brancher un <u>ventilateur</u>/un petit <u>vent</u> frais – <u>accrocher</u> un tableau/faire un <u>accroc</u> à sa robe – un siège sans <u>dossier</u>/avoir mal au <u>dos</u>.

4 le <u>port</u> (portuaire)/en <u>retard</u> (retarder) – au <u>camp</u> (camper)/<u>hasard</u> (hasarder) – le <u>client</u> (la cliente)/un <u>regard</u> (regarder) – <u>trois</u> (troisième)/au <u>fond</u> (la fondation) – ce <u>pays</u> (le paysage)/le <u>climat</u> (la climatisation).

5

	1			
2	R	E	F	U	S

(crossword grid)

1 (vertical): R É C I T

2 R E F U S
3 C H A M P
4 T A P I S

10 Des mots invariables

1 Les nuages approch**ent** ; <u>déjà</u> **les** premières gouttes **sont** tombées. – <u>Aujourd'hui</u>, **nous** achet**ons** **des** nouveaux stylos. – Les malades **sont** sortis <u>malgré</u> **les** interdictions **des** docteurs. – <u>Aussitôt</u> arrivées, **les** ouvrières commenc**èrent** **leurs** travaux.

2 Le petit voisin vient **souvent** (**fréquemment**) nous aider. – Le tracteur s'était arrêté **devant** (**près de**) l'écurie. – Il y a **trop** (**beaucoup**) de véhicules garés sur le parking. – Il demande du secours **parce que** (**car**) sa mère est blessée. – Ces accidents se sont produits **en même temps** (**simultanément**). – Ses enfants regardent **peu** (**rarement**) la télévision.

3 Il est **tard** ; rentrons à la maison. – **Depuis** ce matin, il pleut. – Nous attendons **longtemps** au guichet. – Jérôme m'a répondu **gentiment**.

4 **Poliment**, nous avons demandé la liste des **monument<u>s</u>** ouverts le dimanche. – S'il cherche bien, il trouvera **sûrement** ses **vêtement<u>s</u>** d'hiver. – **Dernièrement** la radio n'a diffusé que des **fragment<u>s</u>** du discours du Président. – Les **torrent<u>s</u>** alpins déchaînés ont **rapidement** déraciné les jeunes arbustes. – Les **aboiement<u>s</u>** des chiens de garde cessèrent **momentanément**.

5 Piétons, traversez la chaussée **prudemment**. – Avec leur lourd équipement, les scaphandriers avançaient **pesamment**. – Les vagues successives heurtent la digue **violemment**. – **Bruyamment**, les salariés manifestent contre la fermeture de l'usine.

11 Des homonymes

1 la <u>voie</u> ferrée – parler à <u>voix</u> basse – Il n'y <u>voit</u> plus rien.
se diriger <u>vers</u> la gare – un <u>ver</u> de terre – un plumage <u>vert</u> – un <u>verre</u> d'eau ;
<u>vingt</u> euros – crier en <u>vain</u> – un <u>vin</u> de Bordeaux ;
le <u>cou</u> d'une girafe – un <u>coup</u> de pied – le <u>coût</u> de la vie – Il <u>coud</u> un bouton ;
la crème du <u>lait</u> – la <u>laie</u> et le sanglier – être <u>laid</u> comme un pou ;
le <u>port</u> de Boulogne – un rôti de <u>porc</u> – les <u>pores</u> de la peau.

2 une **faim** de loup – attendre la **fin** du film ;
une feuille de **chêne** – offrir une **chaîne** en or ;
écosser des petits **pois** ; calculer le **poids** d'un colis ; un cheveu **roux** – la **roue** de secours ;
un **signe** de la main – un **cygne** blanc ;
être **très** près du but – tracer un **trait**.

3 une ceinture en **cuir** – un **mur** de pierres – nettoyer **ton** vélo – une **tache** difficile à effacer – du linge **sale** – le **plan** d'une maison – un corps **sain**.

4 mettre son grain de **sel** – chanter en **chœur** – de la **cire** d'abeille – un **coin** de ciel bleu – la crête du **coq** – un tube de **colle** – un maillot de **corps**.

5 une clé de **sol** – les arêtes de la **sole** – un **sol** carrelé ;

le **sceau** du roi – un **seau** d'eau – le **saut** en hauteur ;

cette journée – **sept** jours – un **set** de table ;

chacun pour **soi** – une écharpe de **soie** – un **soi**-disant médecin ;

avoir le **temps** – **tant** mieux – une piqûre de **taon** ;

le **comte** de Monte-Cristo – un **conte** de fées – Le **compte** est bon.

6 un champ/**champêtre** – un chant/**chanter** – le vent/un **ventilateur** – Il vend/**vendre** – un point/un **pointillé** – un poing/une **poignée** – le mors/la **morsure** – le mort/**mortel**.

12 Le genre des noms

1 **le** manche de couteau et **la** manche de manteau – construire **une** tour en pierre et faire **un** tour de cour – **la** moule dans sa coquille et **le** moule à gâteau – **un** poste de télévision et **la** poste où l'on achète des timbres – **un** vase de fleurs et **la** vase sur le bord du fleuve.

2 une **passagère** – une **voisine** – une **nageuse** – un **moniteur** – un **sorcier** – un **lion** – une **chatte** – une **princesse** – un **directeur** – un **joueur**.

3 le chanteur/la **chanteuse** – le boulanger/la **boulangère** – la **conductrice**/le conducteur – la **tigresse**/le tigre – une **chienne**/un chien – l'instituteur/l'**institutrice**.

4 Cette **sportive** est en pleine forme. – Arrêtez de crier comme une **diablesse** ! – Les policiers recherchent une **voleuse**. – Vous êtes une **menteuse**. – La **gauchère** surprend son adversaire. – J'aperçois une **inconnue**. – C'est une **spectatrice** fidèle !

5 une couturière – une traduct**rice** – une comt**esse** – une pharmaci**enne** – une cavalière – une éducat**rice** – une ân**esse** – une gardi**enne** – une étrang**ère** – une présentat**rice** – une maît**resse** – une collégi**enne**.

6 les Français/les Françaises – les Italiens/les Italiennes – les Anglais/les Anglaises – les Espagnols/les Espagnoles – les Allemands/les Allemandes – les Belges/les Belges – les Danois/les Danoises – les Norvégiens/les Norvégiennes – les Autrichiens/les Autrichiennes.

13 Le pluriel des noms

1 les jeux des oiseaux – les roues des landaus – des monceaux de copeaux – les boyaux ou les pneus – des tonneaux en chêne – les naseaux des taureaux – les essieux des tombereaux – des bleus aux yeux – des clous et des marteaux – des bijoux et des anneaux – les morceaux des drapeaux – des ciseaux et des couteaux.

2 Les jardiniers utilisent souvent des cordeaux et des râteaux. – Même les eaux des ruisseaux peuvent entraîner les roues des moulins. – Les chameaux traversent les déserts sans boire. – Avoir des poux dans les cheveux, c'est ennuyeux. – En entendant les hiboux, M. Robert tira les verrous de sa porte. – Les kangourous vivent en Australie et les tatous en Amérique. – Les vignobles des coteaux sont hérissés de pieux pour soutenir les ceps. – Les matous ont fait des trous dans les rideaux.

3 des loc**aux** – des journ**aux** – des can**aux** – des mét**aux** – des végét**aux** – les b**als** – les tot**aux** – les chac**als** – de minér**aux** – des festiv**als**.

4 des éventails – les coraux – les portails – les gouvernails – les poitrails des chevaux – les détails – des travaux – les vitraux – des émaux – les rails.

5 Les coucous sont les seuls oiseaux qui ne bâtissent pas de nid. – Dans les milieux de la recherche, on prépare les vaisseaux pour aller sur Mars. – Les généraux inspectent les troupes avant les défilés. – Les carnavals sont des occasions d'exprimer la liesse des foules.

6 l'intrus est : **les régals**, car c'est le seul pluriel en « als » ; tous les autres noms forment leur pluriel en « aux » ;
l'intrus est : **les pneus**, car c'est le seul pluriel en « eus » ; tous les autres noms forment leur pluriel en « eux ».

14 Les accords dans le groupe nominal

1 quelques gros**ses** olives vert**es** ou noir**es** – de nouveau**x** locaux aéré**s** et bien agencé**s** – deux grand**es** échelles métalliques double**s** – une intersection dangereu**se** et mal signalé**e** – une chaud**e** journée ensoleillé**e**.

2 De longu**es** insomnies répété**es** rendaient ses nuits interminable**s**. – Le lierre s'accroche aux murs par de multiple**s** crampons chevelu**s**. – Des satellites artificiel**s** tournent autour de notre bon**ne** vieille Terre. – Les chevaux les plus résistant**s** participent à la premi**ère** course hivernal**e**. – Une violente tempête dévastat**rice** a ruiné cette région côti**ère**. – Samira ôtait un à un les long**s** pétales blanc**s** de la marguerite. – Quelques curieu**ses** plantes médicinale**s** pendent au plafond de l'herboristerie.

3 **Ces** courte**s** **histoires** drôle**s** **font** rire aux larmes tout le public. – **De** malencontreu**ses** **erreurs** de calcul **ont** faussé le**s** derniers **résultats**. – L'arbitre lance **des coups** de sifflet stridents et les **joueurs**, étonné**s**, s'arrêt**ent**. – Le**s** nouveau**x** **magasins** de meubles rest**ent** ouvert**s** même lors **des jours** férié**s**.

4 Le journaliste interroge cett**e** **actrice** parisien**ne** réputé**e** chaleureu**se**. – **La maison**, fleuri**e** et bien entretenu**e**, est souvent photographié**e**. – J'enfile une vie**ille chemise** de toile écrue. – Une importante **équipe** d'archéologues poursuit des recherches.

5 une collection de timbre**s** – une file de voitures – des patins à roulette**s** – des leçons de géographie – un cahier à petit**s** carreau**x** – des dents de lait – des gants de toilette – des sacs à main.

15 L'accord du verbe avec son sujet

1 Les habitants de Narbonne **votent** (…). – Les paroles prononcées par l'orateur **émeuvent** (…). - Au milieu du champ, les herbes folles **croissent** (…). – Les bonbons laissés trop longtemps au soleil **fondent**. – Les pays où **sévit** la famine (…). – Le savant qui **dirige** cette équipe de chercheurs **reçoit** le prix Nobel.

2 Nous observions les chalutiers qui **rentraient** au port. – Le bulldozer qui **dégageait** la route avait des pneus énormes. – Les acteurs qui **jouaient** dans ce film débutaient leur carrière. – Quelles étaient les inscriptions qui **ornaient** le portail ? – Toi qui **appréciais** le chocolat, tu as dû aimer ces gâteaux. – À la pêche, c'est toujours moi qui **revenais** bredouille.

3 Le chrome est un métal qui **protège** les autres métaux. – L'avion qu'**attendent** les passagers a un peu de retard. – Les koalas sont des animaux qui **dorment** beaucoup. – Le ventilateur et l'obscurité **atténuent** la chaleur. – Ni Flavien ni Edgar ne **portent** ce seau bien trop lourd. – Le mimosa et le jasmin **parfument** le salon. – Le judo et le football **intéressent** ces enfants du CM2.

4 Les deux ponts, sapés par les eaux du torrent en crue, **se sont écroulés**. – Au pied des épicéas **a poussé**, comme par miracle, une touffe de troène doré. – L'explorateur qui **a rencontré** trop de difficultés **a rebroussé** chemin. – Les cendres du Vésuve **ont recouvert** la ville de Pompéi en un instant. – De grosses pierres que le gel a fait éclater **sont tombées** au pied de la paroi.

5 Ghislain **et** moi avons bondi ensemble, fort étonnés. – C'est un tremblement de terre **ou** un cyclone qui a détruit ce village. – Est-ce toi **ou** Marina qui joue si bien du saxophone ? – Pascal **ou** Casimir tiendra le premier rôle dans cette pièce de théâtre. – L'avenue **et** le boulevard étaient aussi encombrés l'une que l'autre.

16 L'accord du participe passé employé avec l'auxiliaire *être*

1 Nous sommes arriv**ées** devant une superbe cataracte. – Nous avions été él**ues** avec quelques voix d'avance. – Vous êtes trop fatigu**és** pour reprendre le match. – Vous serez rejoin**ts** par Marion et Dominique. – Vous avez été applaudi**s** par un public formidable.

2 La salle est **retenue**, mais la location n'est pas **ouverte**. – L'équipe adverse est **étonnée**, car notre but est **refusé**. – La machine sera **réparée** dès que la notice sera **traduite**. – Les fruits sont **cueillis**, puis **déposés** dans le hangar. – Le drapeau rouge est **hissé**, car la mer est **déchaînée**. – Le fichier est **effacé** et, hélas, n'a pas été **sauvegardé**.

3 Des récompenses ont été distribu**ées** à tous les participants. – Les brochettes seront cuit**es** à feu doux. – La nouvelle du mariage de la princesse a été très vite diffus**ée**. – En prévision des crues de printemps, les digues seront consolid**ées**. – La minuterie ne fonctionne plus, mais le gardien n'a pas été averti. – Le champ de luzerne est arrosé automatiquement. – La poche du manteau est déchir**ée** sur cinq centimètres.

4 La voiture **est allée** dans le fossé, sans dommage. – Les noix **sont tombées** sur le sol ; il faut les ramasser. – Ce bébé **est né** avant terme, mais il se porte bien. – Comme le chat rôdait, la mésange **s'est envolée**. – Les clients **sont entrés** dès l'ouverture des portes. – Elles **se sont aperçues** que le trajet était assez long. – Nous **nous sommes levé(e)s** à l'aube.

5 1. Le pneu arrière est percé en plusieurs endroits.
2. Les meubles ont été payés en euros.
3. Notre ami est parti en coup de vent.
4. Mina a été pesée sur la bascule du pharmacien.
5. Ce tableau fut peint par Michel-Ange.
6. Les roseaux étaient pliés par la moindre brise.
7. Cette toile est tissée à la main.

							7
5	P	E	I	N	T		
3	P	A	R	T	I		
2	P	A	Y	É	S		
6	P	L	I	É	S		
1	P	E	R	C	É		
4	P	E	S	É	E		

17 L'accord du participe passé employé avec l'auxiliaire *avoir*

1 Les maçons avaient construit des petites villas au bord de la mer. – La maquette que nous avons construit**e** reproduit fidèlement cet avion. – Les cloisons que le plâtrier a construit**es** isolent contre le bruit.
Les pots de confiture que Marc a couvert**s** sont rangés sur l'étagère. – Les laitues que le jardinier avait couvert**es** n'ont pas souffert de la gelée. – Les feuilles ont couvert le sol d'un tapis multicolore.

2 La musique que Mozart a compos**ée** est immortelle. – Les émissions que l'on a regard**ées** seront rediffusées demain. – La couturière qui a cous**u** cette robe est une artiste. – Les poissons que M. Brun a pêch**és** feront une bonne friture. – Les routes que le chasse-neige a déneig**ées** sont praticables. – Les voyages que vous avez organis**és** nous conduiront en Asie. – Le concours qu'Albert a gagné n'était pas difficile.

3 Oui, je les ai essay**ées**. – Non, il ne les a pas cod**és**. – Non, ils ne l'ont pas affal**ée**. – Oui, nous les avons entour**ées**. – Non, je ne l'ai pas étudi**ée**. – Non, nous ne les avons pas gonfl**és**. – Oui, il les a vaccin**és**.

4 Je vous rends <u>les outils</u> que vous m'avez prêt**és**. – Quelle <u>paire de skis</u> avez-vous choisie ? – Le gendarme a contrôlé la vitesse <u>des voitures</u>. – <u>Cette personne</u>, M. Dandy l'a connu**e** au Portugal. – Pierre a offert <u>des roses</u> à sa maman. – <u>La comète</u> que tu as observ**ée** se trouve fort loin de la Terre. – Dès l'aube, <u>les pelleteuses</u> ont réveillé tout le quartier.

18 ces – ses

1 Le peintre nettoie **les siens**. – Le clown a raté **les siennes**. – Samy formate **les siens**. – L'oie se couche sur **les siens**. – La rose perd **les siens**. – La pieuvre remue **les siens**.

2 Mme Bleu gare **sa** voiture. – La sueur perle sur **son** front. – Le verglas perturbe **ses** projets. – La porte de **sa** cage est ouverte. – Édith illustre **sa** poésie. – **Ses** yeux pétillent de malice. – Le cobaye délaisse **sa** nourriture. – Ce maillot perd **ses** couleurs. – Elle a pris **ses** vacances en juin. – L'arbre perd **ses** feuilles.

3 ce**s** b**eaux** anim**aux** – ce**s** casserole**s** – **ses** crainte**s** – **ses** canot**s** – **ces** emploi**s** – **ces** détail**s** – **ses** bijou**x** – **ces** adulte**s** – **ces** adresse**s** – **ses** victoire**s**.

4 Ce**s** <u>passages</u> à niveau **sont** dangereux car il**s** ne se voi**ent** pas très bien. – Ce**s** <u>statues</u> grecque**s**, malgré **leur** âge, **sont** bien conserv**ées**. – M. Trille a surestimé **ses** <u>capacités</u> à débarrasser son grenier en un jour. – Une fois press**és**, **ces** <u>raisins</u> donner**ont** un excellent jus. – Dans **ses** <u>tiroirs</u>, Sébastien cache tou**s** **ses** <u>trésors</u> !

5 Dans **ses** lettres, mon grand-père évoque souvent **ses** souvenirs. – Le vieux baroudeur nous enchante par le récit de **ses** exploits. – Le joueur d'échecs déplace **ses** pièces après mûre réflexion. – Pour marcher, **ces** plages de sable sont préférables à **ces** plages de galets. – Rien n'est plus fascinant que **ces** couchers de soleil derrière **ces** montagnes. – Le Parthénon a vingt-cinq siècles mais **ses** ruines sont encore grandioses. – Arnold corrigea bien vite **ses** erreurs et **ses** camarades l'aidèrent.

6 Cette ville est surtout connue pour **ses** chutes : c'est **Niagara**. – Avec **ses** poutrelles d'acier, elle domine Paris : c'est la **tour Eiffel**. – **Ses** (ou **Ces**) montagnes culminent à plus de 8 000 mètres : c'est l'**Himalaya**. – Sur **ses** canaux voguent les gondoles : c'est **Venise**.

19 leur – leur(s)

1 **Leur** est pronom personnel.

2 **Leurs** paupières se ferment peu à peu. – Les lapins regagnent **leur** terrier. – Les joueurs classent **leurs** cartes. – Écris-**leur** de ma part. – Les touristes présentent **leur** passeport. – Les viticulteurs soignent **leurs** vignes. – Faites-**leur** un petit signe.

3 les chevaux – les pigeons – les chats – les éléphants – les chiens – les abeilles.

4 **Les** ouvrier**s** creus**ent** la tranchée ; Jean **leur** en indique la profondeur. – **Les** commerçant**s** installe**nt** **leurs** fruits ; un client **leur** demande les prix. – Le mécanicien appelle **les** apprenti**s** pour **leur** montrer le filtre à huile. – **Les** automobiliste**s** arrête**nt** **leur** véhicule sur une aire de repos. – **Les** éleveur**s** certifie**nt** que **leurs** bêtes sont nourries uniquement avec de l'herbe.

5 Dans le train, tous les voyageurs compostent **leur** ticket. – Les plaisanciers recouvrent **leur** visage d'écran solaire. – Ces jeunes filles sont fières de **leurs** boucles d'oreilles. – Les animateurs écoutent **leurs** auditeurs avec beaucoup d'attention. – Aymeric et Fanny écoutent **leurs** disques sur un baladeur.

6 En **leur** disant la vérité, on **leur** évitera des surprises. – Les mitrons saupoudrent **leurs** pains de farine et surveillent **leur** mise au four. – Est-ce que notre courrier **leur** est bien parvenu pendant **leurs** vacances ? – Les poules ont rassemblé **leurs** poussins pour les protéger sous **leurs** ailes. – Rappelle-**leur** que le concert est à vingt heures et que **leurs** places sont réservées. – Pour **leur** anniversaire, nous **leur** cueillerons les premières cerises.

20 Le présent de l'indicatif

1 La mer rej**ette** les débris sur la plage. – Mes cousins app**ellent** leur nouveau-né Hugo. – Les machines empaqu**ettent** les bonbons. – Nous renouv**elons** notre adhésion à l'école de musique.

2 L'antiquaire ach**ète** des tableaux trouvés dans un grenier. – Ce terrain rec**èle** du minerai de fer. – Je cong**èle** les framboises que je viens de cueillir. – Fatigués par une longue course, les chiens hal**ètent**. – Vous p**elez** toujours les fruits avant de les manger.

3 Nous vous annon**çons** une bonne nouvelle : il fait beau. – Nous ména**geons** une place pour chaque chose. – Nous nous diri**geons** vers la statue. – Nous rempla**çons** le filtre de la cafetière.

4 Dans la montée, vous **appuyez** sur les pédales. – Je n'**emploie** pas cet outil, car je risque de me blesser. – Ces chiens **aboient** quand ils entendent du bruit. – Nous **essayons** un nouveau produit pour graisser l'engrenage. – Je ne **tutoie** pas mon voisin bien trop âgé. – Les aigles **déploient** leurs ailes au-dessus des petits rongeurs. – Est-ce que tu **t'ennuies** lorsque tu es en vacances ? – Un puissant bulldozer **déblaie** le terrain vague.

5 Je ne **peux** pas sortir ce matin. – **Pouvons**-nous nous retirer ? – Qui **peut** le plus **peut** le moins. – **Pouvez**-vous m'être utile ? – **Peux**-tu dévisser ces boulons ? – Les tenailles ne **peuvent** pas flotter !
Voulez-vous réparer cet objet ? – Que **veux**-tu pour ta fête ? – Je m'en **veux** de ne pas dormir. – Que **veut** dire ce touriste ? – Ces papiers ne **veulent** pas brûler. – Les oiseaux **veulent** s'envoler.

6 Adrien **épelle** lentement le mot *orthographe*. – Nous **pinçons** les cordes de la guitare. – Les sorcières **jettent** de mauvais sorts. – Nous **écrivons** avec un

D	I	P	R	E	E
A	C	I	O	P	C
M	A	N	G	E	R
P	O	C	U	L	I
E	J	E	T	E	R
D	I	R	E	R	E

stylo noir. – Vous ne **dites** pas de mensonges. – Nous **mangeons** des artichauts.

21 L'imparfait de l'indicatif

1 présent : vous modifiez – vous pétillez – nous taillons ;
imparfait : nous vérifiions – vous effrayiez – nous expédiions.

2 Nous **changions** souvent de lieu de vacances. – Les vautours **dépeçaient** la proie abandonnée par la lionne. – Vous vous **octroyiez** la meilleure part du gâteau. – Nous nous **mouillions** jusqu'aux cheveux. – Nous vous **confiions** d'importants secrets.

3 s'exercer – résoudre – repeindre – faire – émerger – connaître.

4 Autrefois, les caravaniers **se dirigeaient** grâce aux étoiles. – Pourquoi **déplaçais**-tu les meubles de ta chambre ? – Cette pommade à l'arnica **soulageait** ma bosse. – Vous **grimaciez** un sourire malgré la défaite. – Après ta maladie, tu **paraissais** bien faible. – Je **buvais** un verre de lait chaque matin. – La météo **prévoyait** un temps lourd et orageux.

5 Avec ce tampon métallique, nous **rayions** l'émail du four. – Les Égyptiens **érigeaient** des pyramides pour les morts. – Émilie **liait** facilement la

V	R	M	E	S	L
E	A	P	R	U	I
R	Y	R	I	C	E
N	E	I	G	E	R
T	R	I	E	R	A
O	S	E	R	U	V

conversation. – Depuis huit jours, il **neigeait** sur les sommets. – Vous **triiez** les perles vertes mélangées avec les rouges. – Lorsque j'étais un bébé, je **suçais** mon pouce.

22 Le futur simple

1 diminuer – supplier – rabrouer – s'habituer – se dévouer – sacrifier.

2 Si nous salissons le carrelage, nous le **nettoierons**. – Tu **remercieras** Antoine pour sa gentillesse. – L'équipe de Biarritz **essuiera** certainement un sérieux revers. – Les techniciens **vérifieront** tous les instruments de bord. – Il **tutoiera** son grand-oncle, si cela ne le gêne pas. – Les motards **convoieront** un chargement exceptionnel. – Bientôt, on **paiera** nos achats avec une carte bancaire.

3 Je **ferai** de l'escalade. – Tu **recevras** ma réponse. – Cet arbre **mourra** bientôt. – Lionel **courra** le marathon. – Nous **reverrons** nos amis. – Cela **vaudra** le détour. – Vous **parcourrez** les titres. – Nous ne vous **croirons** pas. – Ils **tiendront** les rênes. – Vous **viendrez** en retard. – Tu **riras** de bon cœur. – J'**aurai** un peu de chance.

4 Vous **cueillerez** des roses et vous **ferez** un bouquet. – Lorsque je **serai** grand, je **tiendrai** un commerce. – Quand tu **sauras** conduire, nous **irons** à Boulogne. – Quand Elsa **reviendra**, nous **courrons** sur la plage. – J'**enverrai** un courrier à Blaise lorsque je le **pourrai**. – Vous **verrez** un potier qui **fera** un vase. – Les moniteurs ne **skieront** pas hors des pistes balisées. – Quand les pluies **reviendront**, nous **reverrons** les escargots le long des chemins.

5 La rumeur **parviendra** jusqu'à nous. – Vous **conviendrez** que ce projet est trop ambitieux. – Je **préviendrai** le directeur de mon départ avant la fin de l'année. – Julie **deviendra** certainement ingénieur en électronique. – Lorsque la crue **surviendra**, nous monterons les meubles à l'étage. – Personne ne sait ce qu'il **adviendra** de la télévision dans un siècle.

23 Le passé simple

1 L'armée **assiégea** le château fort. – Le cuisinier **éplucha** les légumes. – Élie et Loïc **adoptèrent** un hamster. – Tu **retombas** sur tes pieds. – Je m'**installai** confortablement. – Nous **enfilâmes** nos gants.

2 Les Français n'**abolirent** l'esclavage qu'en 1848. – Harpagon **enfouit** sa cassette au fond de son jardin. – Comme il faisait froid, je **me blottis** au fond de mon lit. – À l'approche du carrefour, tu **ralentis**. – Tu **enduisis** tes chaussures de cirage noir avant de les brosser. – Napoléon **atteignit** le sommet de sa gloire à Austerlitz. – Pour serrer ces boulons, nous nous **servîmes** d'une clé à tube.

3 Tu **attendais** depuis deux mois lorsque tu **obtins** enfin ton passeport. – Il **pleuvait** à verse, alors je **courus** me réfugier sous le porche. – Vous **aviez** l'habitude de rentrer vite, mais cette fois vous **fîtes** un détour. – Pour une fois, les enfants **demandèrent** des frites et ils **furent** satisfaits. – Il ne **restait** plus de places assises, alors nous nous **plaçâmes** au fond du bus. – L'explorateur **fut** contraint de s'arrêter, alors il **construisit** un igloo.

4 Elle alla crier famine chez la **fourmi** sa voisine. (**aller**) – Une **grenouille** vit un bœuf qui lui sembla de belle taille. (**voir – sembler**) – Compère le **renard** se mit un jour en frais, et retint à dîner commère la **cigogne**. (**se mettre – retenir**) – Un **loup** survint à jeun qui cherchait aventure. (**survenir**) – Le pot de fer proposa au **pot de terre** un voyage. (**proposer**) – Un **vieillard** sur son âne aperçut en passant un pré plein d'herbe. (**apercevoir**) – À la porte de la salle, ils entendirent du bruit : le **rat** de ville détala. (**entendre – détaler**).

24 Les temps composés de l'indicatif

1 passé composé : as bu – a dévoré – a déraciné ;

plus-que-parfait : avait sonné – avaient recueilli – avait pondu ;

futur antérieur : aura visé – aurez trouvé.

2 Avec ses puissants anneaux, le boa **a broyé** sa proie. – Il y avait du soleil, alors j'**ai mis** mon sombrero. – Les archéologues **ont**

découvert de nouveaux fossiles. – Vous **êtes monté(e)s** au premier étage de la tour Eiffel. – Au mois de juillet, tu **es allé(e)** en vacances en Italie. – Cette année, le froid **est venu** plus tôt que prévu.

3 Les gymnastes **avaient mérité** les ovations du public. – Les observations **avaient révélé** une éruption solaire. – Le pirate **avait caché** son trésor sur une île déserte. – Ce jour-là, vous **étiez sorti(e)s** en avance. – L'ascenseur était en panne, alors tu **étais descendu(e)** à pied. – J'**avais suivi** le rythme, mais j'**avais perdu** mes forces.

4 Dès que tu **auras terminé** ta lettre, tu la **posteras**. – Quand j'**aurai retrouvé** mon chemin, je **serai** plus tranquille. – Lorsque vous **aurez sarclé** l'allée, vous **cueillerez** des dahlias.

5 Pendant la tempête, deux barques **avaient chaviré**. – Pour sa première leçon, elle **avait** fort bien **conduit**. – À seize heures, tous les électeurs **avaient voté**. – Les jeux de plage **avaient continué** sous la pluie. – Tu **étais devenue** grande et musclée grâce à la natation.

6 Lorsque j'**aurai pêché** assez de poissons, je partirai. – Quand tu **avais traversé** la rivière, tu ignorais sa pollution. – Dès que Johan **a connu** le résultat, il a sauté de joie. – Il faisait beau et la fusée **avait décollé** sans incident. – Louis XVI, roi de France, **a réuni** les États généraux. – Quand tu **auras reçu** la facture, tu la régleras. – Vous **aviez emporté** une lampe de poche car la grotte était sombre. – Ces sœurs **sont nées** le même jour, mais pas la même année ! – Lorsque Tom arriva, la représentation **avait** déjà **commencé**. – Quand j'**aurai relu** mon devoir, je le donnerai au professeur.

25 Le présent du conditionnel

1 Il **risquera** gros. – Il **risquerait** gros. – Nous **aurons** soif. – Nous **aurions** soif. – Je **verrai** clair. – Je **verrais** clair. – Vous **perdrez**

votre voix. – Vous **perdriez** votre voix. – Elles **parleront** fort. – Elles **parleraient** fort. – Tu **allongeras** le pas. – Tu **allongerais** le pas.

2 (aller) Sans aide, ces candidats **iraient** à l'échec. – (traverser) Avec un bon voilier, je **traverserais** la Manche. – (peindre) Tu **peindrais** la balustrade avec un produit antirouille. – (recevoir) Sur le podium, le vainqueur **recevrait** la médaille d'or. – (effectuer) Nous **effectuerions** des démarches pour notre passeport.

3 Si nous lui **téléphonions**, Natacha **répondrait** à notre appel. – Si le hamster n'**avait** rien à faire, il **mourrait** d'ennui. – Si vous **essayiez** ce produit, vous l'**adopteriez** immédiatement. – Si M. et Mme Le Garrec **gagnaient** ce concours, ils **partiraient** en voyage.

4 Si tu marches plus vite, nous **atteindrons** le sommet à six heures. – Si un incendie se déclarait, qu'**utiliseriez**-vous pour l'éteindre ? – Si le lierre continue à pousser, il **recouvrira** le toit de la grange. – Si ce livre me plaît, je le **lirai** jusqu'au bout. – Si tu pénétrais dans cette grotte, tu **croirais** entrer dans un palais.

5 Si les glaces des pôles fond**aient**, que deviendr**aient** les îles du Pacifique ? – Si j'**étais** plus grand, je fer**ais** le tour du monde. – Si tu **voulais** voir des poissons rares, tu visiter**ais** l'aquarium de Monaco.

26 L'impératif

1 Tu ne <u>passes</u> pas. – <u>Skiez</u>-vous ? – <u>Écris</u>-tu ?

2 (mélanger) **Mélange** les deux pots de peinture. – (revendre) **Revendez** votre automobile. – (nourrir) **Nourris** tes perruches. – (étudier) **Étudie** le nouveau règlement. – (remplir) **Remplis** la bouteille de sirop de menthe. – (remercier) **Remercie** ta tante pour ce beau cadeau.

3 **Tiens** fermement la laisse de ton chien. – **Dis**-moi ton nom. – **Offrez**-vous un jour un repas dans un bon restaurant. – **Sache** que nous ne tolérerons pas un refus de ta part. – **Veuillez** formuler clairement votre question. – **Ouvre** grand tes oreilles pour écouter ce concert.

4 Par temps de brouillard, **réduisez** votre vitesse et **soyez** prudents. – **Recueille** quelques informations sur la vie des peintres que tu étudies. – Ne **perdez** pas votre temps et ne **gaspillez** pas vos forces. – Dans l'autobus, **levez**-vous et **cédez** votre place aux personnes âgées. – N'**hésite** pas et **abonne**-toi à ce journal ; tu verras qu'il t'intéressera.

5 Vous **vous méfiez**. – **Méfiez**-vous ! – Tu **te souviens**. – **Souviens**-toi ! – Tu **t'essuies**. – **Essuie**-toi ! – Tu **t'arrêtes**. – **Arrête**-toi ! – Vous **vous calmez**. – **Calmez**-vous ! – Tu **t'inscris**. – **Inscris**-toi ! – Tu **te soignes**. – **Soigne**-toi !

27 Le présent du subjonctif

1 Il faut que vous **soyez** plus coopératifs. – Entraîne-toi pour que tu **sois** en pleine forme le jour de la compétition. – Il faut absolument que j'**aie** une minute pour te téléphoner. – Elles continuent à travailler bien qu'elles **soient** fatiguées. – On souhaite que les vacanciers **aient** un temps magnifique. – Que vous **ayez** des soucis ne m'étonne guère. – Il faut que tu **aies** confiance en toi. – Pourvu que

nous ne **soyons** pas importunés par les moustiques.

2 Vous **buvez**. – Il faut que vous **buviez**. – Tu **te retiens**. – Il faut que tu **te retiennes**. – Je **m'enhardis**. – Il faut que je **m'enhardisse**. – Elle **vient**. – Il faut qu'elle **vienne**. – Je **me tais**. – Il faut que je **me taise**.

3 Chaque fois que le clown tombe, Isabelle **rit** aux éclats. – Je me plains que tu **coures** partout sans motif. – Quand l'hiver arrive, l'hirondelle **fuit** nos régions. – On craint toujours que le camélia **meure** de froid. – La météo **prévoit** un temps orageux pour cet après-midi. – Il est urgent que tu **secoures** cet écureuil blessé. – Il est possible que vous **croyiez** le récit fantastique de cet explorateur de retour d'Amazonie.

4 Il est important que vous **fassiez** consciencieusement vos devoirs. – Ne crains-tu pas que ce mauvais partage **fasse** des mécontents ? – Nous ne sommes pas au bout de nos peines bien que nous **fassions** des efforts. – Pouvez-vous relire ma copie pour que je ne **fasse** pas trop d'erreurs ? – Pour sortir de ce créneau, il faut que M. Bleu **fasse** marche arrière.

5 Je ne veux pas que Julien **perde** son temps en comptant tous ces grains de blé. – Il serait préférable que vous **ralentissiez** dans les agglomérations. – Il serait étonnant que le bateau **parte** dans une minute.

3 Écris les noms en **couleur** au pluriel, et fais les accords nécessaires.

Cette courte **histoire** drôle fait rire aux larmes tout le public.

....

Une malencontreuse **erreur** de calcul a faussé le dernier **résultat**.

....

L'arbitre lance un **coup** de sifflet strident et le **joueur**, étonné, s'arrête.

....

Le nouveau **magasin** de meubles reste ouvert même lors d'un **jour** férié.

....

4 Remplace les noms en **couleur** par ceux entre parenthèses, et fais les accords nécessaires.

(actrice)   Le journaliste interroge cet **acteur** parisien réputé chaleureux.

....

(maison)   Le **bâtiment**, fleuri et bien entretenu, est souvent photographié.

....

(chemise)   J'enfile un vieux **pantalon** de toile écrue.

....

(équipe)   Un important **groupe** d'archéologues poursuit des recherches.

....

5 Complète les expressions suivantes pour former des groupes du nom, et fais les accords nécessaires.

de lait – de toilette – à petit carreau – à main – de timbre – de voiture – de géographie – à roulette

une collection ....   une file ....

des patins ....   des leçons ....

un cahier ....   des dents ....

des gants ....   des sacs ....

mémo malin

Il n'est pas toujours facile de choisir entre le singulier et le pluriel pour le nom qui complète un autre nom quand il n'y a pas d'article exprimé. En cas de doute, on peut consulter un dictionnaire ou penser au sens de l'expression.

un champ de ruines	une maison en ruine
la marche à pied	un saut à pieds joints
une assiette à dessert	un chariot de desserts

Je retiens !

• Un verbe s'accorde toujours avec le sujet, que celui-ci soit proche, éloigné ou inversé par rapport au verbe.

Les passants s'attroupaient près du vendeur.

Les passants, attirés par le flot de paroles du vendeur, s'attroupaient.

Sur la place du village s'attroupaient les passants.

• Quand le sujet du verbe est le pronom **qui**, le verbe s'accorde avec l'antécédent de ce pronom.

Les passants qui s'attroupaient sur la place étaient fort nombreux.

• Un verbe peut avoir deux sujets singuliers ; il s'écrit alors au pluriel.

Le sel et le poivre donnent du goût à ce plat.

---

1 Complète chaque phrase avec le verbe qui convient, encadre le groupe sujet et souligne le nom principal qui commande l'accord. Tu peux utiliser un dictionnaire.

fondent – reçoit – votent – émeuvent – sévit – croissent

Les habitants de Narbonne .... pour élire un nouveau conseil.

Les paroles prononcées par l'orateur .... tous les spectateurs.

Au milieu du champ, les herbes folles .... plus vite que le blé.

Les bonbons laissés trop longtemps au soleil ....

Les pays où .... la famine sont encore trop nombreux.

Le savant qui dirige cette équipe de chercheurs .... le prix Nobel.

---

2 Conjugue les verbes entre parenthèses à l'imparfait de l'indicatif.

(rentrer)   Nous observions les chalutiers qui .... au port.

(dégager)   Le bulldozer qui .... la route avait des pneus énormes.

(jouer)   Les acteurs qui .... dans ce film débutaient leur carrière.

(orner)   Quelles étaient les inscriptions qui .... le portail ?

(apprécier)   Toi qui .... le chocolat, tu as dû aimer ces gâteaux.

(revenir)   À la pêche, c'est toujours moi qui .... bredouille.

3 **Conjugue les verbes entre parenthèses au présent de l'indicatif.**

(protéger)   Le chrome est un métal qui .... les autres métaux.

(attendre)   L'avion qu' .... les passagers a un peu de retard.

(dormir)   Les koalas sont des animaux qui .... beaucoup.

(atténuer)   Le ventilateur et l'obscurité .... la chaleur.

(porter)   Ni Flavien ni Edgar ne .... ce seau bien trop lourd.

(parfumer)   Le mimosa et le jasmin .... le salon.

(intéresser) Le judo et le football .... ces enfants de CM2.

4 **Écris les verbes entre parenthèses au passé composé.**

(s'écrouler)

Les deux ponts, sapés par les eaux du torrent en crue, ...

(pousser)

Au pied des épicéas ...., comme par miracle, une touffe de troène doré.

(rencontrer-rebrousser)

L'explorateur qui .... trop de difficultés .... chemin.

(recouvrir)

Les cendres du Vésuve .... la ville de Pompéi en un instant.

(tomber)

De grosses pierres que le gel a fait éclater .... au pied de la paroi.

5 **Complète par et ou par ou selon le sens des phrases.**

Ghislain .... moi avons bondi ensemble, fort étonnés.

C'est un tremblement de terre .... un cyclone qui a détruit ce village.

Est-ce toi .... Marina qui joue si bien du saxophone ?

Pascal .... Casimir tiendra le premier rôle dans cette pièce de théâtre.

L'avenue .... le boulevard étaient aussi encombrés l'une que l'autre.

mémo malin

Lorsque deux sujets sont reliés par et, ou, ni,
le verbe se met au pluriel, sauf si un sujet exclut l'autre.

M. Delage et M. Dubois poseront leur candidature au poste de maire.
Ni M. Delage ni M. Dubois ne renonceront à se présenter.
M. Delage ou M. Dubois prononcera le discours.

M. Delage ou M. Dubois sera élu maire. (Il n'y aura qu'un seul maire.)

16 L'accord du participe passé employé avec l'auxiliaire *être*

Je retiens !

Le participe passé employé avec l'auxiliaire **être** s'accorde toujours en genre et en nombre avec le sujet du verbe.

Le beau temps est arrivé. → La belle saison est arrivée.
Les beaux jours sont arrivés. → Les belles journées sont arrivées.

L'accord s'effectue même si l'auxiliaire **être** se présente sous une forme composée ou passive.

La moquette a été nettoyée. – La moquette avait été nettoyée.
La moquette aura été nettoyée. – La moquette aurait été nettoyée.
La moquette doit être nettoyée. – Ayant été nettoyée, la moquette est belle.

1 Accorde les participes passés. Entre parenthèses est indiqué ce que représentent les pronoms.

(Fanny et Marion)   Nous sommes arrivé........... devant une superbe cataracte.

(des candidates)   Nous avions été élu........... avec quelques voix d'avance.

(deux basketteurs)   Vous êtes trop fatigué........... pour reprendre le match.

(Arnaud et Malika)   Vous serez rejoint........... par Marion et Dominique.

(des musiciens)   Vous avez été applaudi........... par un public formidable.

2 Complète les phrases avec les participes passés des verbes entre parenthèses ; n'oublie pas les accords.

(retenir-ouvrir)   La salle est ...., mais la location
                         n'est pas ....

(étonner-refuser)   L'équipe adverse est ...., car notre but
                         est ....

(réparer-traduire)   La machine sera .... dès que la notice
                         sera ....

(cueillir-déposer)   Les fruits sont ....,
                         puis .... dans le hangar.

(hisser-déchaîner)   Le drapeau rouge est ...., car la mer
                         est ....

(effacer-sauvegarder)   Le fichier est .... et, hélas, n'a pas
                         été ....

52

3 **Accorde les participes passés dans les phrases suivantes.**

Des récompenses ont été distribué...... à tous les participants.

Les brochettes seront cuit...... à feu doux.

La nouvelle du mariage de la princesse a été très vite diffusé...... .

En prévision des crues de printemps, les digues seront consolidé...... .

La minuterie ne fonctionne plus, mais le gardien n'a pas été averti...... .

Le champ de luzerne est arrosé...... automatiquement.

La poche du manteau est déchiré...... sur cinq centimètres.

4 **Écris les verbes entre parenthèses au passé composé.**
Pour la première personne, tu choisiras le genre.

(aller)   La voiture .... dans le fossé, sans dommage.

(tomber)   Les noix .... sur le sol ; il faut les ramasser.

(naître)   Ce bébé .... avant terme, mais il se porte bien.

(s'envoler)   Comme le chat rôdait, la mésange ....

(entrer)   Les clients .... dès l'ouverture des portes.

(s'apercevoir) Elles .... que le trajet était assez long.

(se lever)   Nous .... à l'aube.

5 **Accorde les participes passés, puis place-les dans la grille. Dans la dernière colonne, tu trouveras un participe passé qui complétera la dernière phrase.**

1. Le pneu arrière est perc...... en plusieurs endroits.

2. Les meubles ont été payé...... en euros.

3. Notre ami est parti...... en coup de vent.

4. Mina a été pesé...... sur la bascule du pharmacien.

5. Ce tableau fut peint...... par Michel-Ange.

6. Les roseaux étaient plié....... par la moindre brise.

7. Cette toile est .... à la main.

mémo malin

Quand le sujet est un pronom, il faut savoir qui ce dernier représente.

Je suis arrivé. → C'est une personne de sexe masculin.
Je suis arrivée. → C'est une personne de sexe féminin.
Nous sommes arrivés. → Il y a au moins une personne de sexe masculin.
Nous sommes arrivées. → Il n'y a que des personnes de sexe féminin.

Je retiens !

Le participe passé employé avec l'auxiliaire *avoir* ne s'accorde **jamais** avec le sujet du verbe.

Francis a lu – Cathy a lu – j'ai lu – les élèves ont lu

Il s'accorde en genre et en nombre avec le **complément d'objet direct** du verbe quand celui-ci est placé **avant** le participe passé.

Francis a lu des livres.   **Cathy a lu des histoires.**
(le COD est placé après le participe passé ➝ pas d'accord)

Les livres que Francis a lus.   **Les bandes dessinées, je les ai lues.**
Le roman que les élèves ont lu.   **La nouvelle que vous avez lue.**
Ces histoires, Francis les a lues.   **Ces journaux, Cathy les a lus.**
(le COD est placé avant le participe passé ➝ accord)

1 **Complète les phrases avec le participe passé des verbes entre parenthèses que tu accorderas, si nécessaire.**

(construire)

Les maçons avaient .... des petites villas au bord de la mer.

La maquette que nous avons .... reproduit fidèlement cet avion.

Les cloisons que le plâtrier a .... isolent contre le bruit.

(couvrir)

Les pots de confiture que Marc a .... sont rangés sur l'étagère.

Les laitues que le jardinier avait .... n'ont pas souffert de la gelée.

Les feuilles ont .... le sol d'un tapis multicolore.

2 **Écris les verbes entre parenthèses au passé composé.**

(composer)   La musique que Mozart .... est immortelle.

(regarder)   Les émissions que l'on .... seront rediffusées demain.

(coudre)   La couturière qui .... cette robe est une artiste.

(pêcher)   Les poissons que M. Brun .... feront une bonne friture.

(déneiger)   Les routes que le chasse-neige ....:................... sont praticables.

(organiser)   Les voyages que vous .... nous conduiront en Asie.

(gagner)   Le concours qu'Albert .... n'était pas difficile.

3 **Observe l'exemple et réponds aux questions.**

Exemple : Avez-vous retrouvé son adresse ? → Oui, nous l'avons retrouvée.

As-tu essayé ces lunettes ? Oui, ...

L'espion a-t-il codé les messages ? Non, ...

Les marins ont-ils affalé la voile ? Non, ...

Avez-vous entouré les bonnes réponses ? Oui, ...

As-tu étudié cette pièce de théâtre ? Non, ...

Avez-vous gonflé les pneus ? Non, ...

Le médecin a-t-il vacciné les enfants ? Oui, ...

4 **Remplace les noms en couleur par ceux entre parenthèses, et fais les accords nécessaires.**

(les outils)   Je vous rends **le stylo** que vous m'avez prêté.

....

(paire de skis)   Quel **matériel** avez-vous choisi ?

....

(les voitures)   Le gendarme a contrôlé la vitesse **du véhicule**.

....

(cette personne)   **Cet homme**, M. Dandy l'a connu au Portugal.

....

(des roses)   Pierre a offert **un bouquet** à sa maman.

....

(la comète)   **L'astre** que tu as observé se trouve fort loin de la Terre.

....

(les pelleteuses)   Dès l'aube, **le bulldozer** a réveillé tout le quartier.

....

mémo malin

Le complément d'objet direct placé **avant** le participe passé est souvent un pronom personnel ou un pronom relatif (dans ce cas, il faut chercher l'antécédent pour accorder convenablement le participe passé).

Francis a lu <u>des livres</u> pendant les vacances ; ils étaient passionnants.

<u>Les livres</u> que Francis a lus pendant les vacances étaient passionnants.

<u>Ces livres</u>, Francis les a lus pendant les vacances ; ils étaient passionnants.

Je retiens !

Il ne faut pas confondre :

• **ses**, déterminant possessif, qui est le pluriel de **son** ou de **sa**.
Henri ôte ses gants. – Henri ôte son vêtement. – Henri ôte sa chemise.
Dans une phrase, **ses** et le nom qui suit peuvent souvent être remplacés par **les siens** ou **les siennes**.
Henri ôte ses vêtements. → Henri ôte les siens.
• **ces**, déterminant démonstratif, qui est le pluriel de **ce**, **cet** ou **cette**.
Ces vêtements sont beaux. → Ce vêtement est beau.
Cet objet est beau. → Cette chemise est belle.

1 Remplace les groupes de mots en **couleur** par **les siens** ou **les siennes**. Utilise un dictionnaire pour vérifier le genre de certains noms.

Le peintre nettoie ses pinceaux. ....

Le clown a raté ses pirouettes. ....

Samy formate ses disques durs. ....

L'oie se couche sur ses œufs. ....

La rose perd ses pétales. ....

La pieuvre remue ses tentacules. ....

2 Complète les phrases par **son, sa ou ses**.

Mme Bleu gare .... voiture.

Le verglas perturbe .... projets.

Édith illustre .... poésie.

Le cobaye délaisse .... nourriture.

Elle a pris .... vacances en juin.

La sueur perle sur .... front.

La porte de .... cage est ouverte.

.... yeux pétillent de malice.

Ce maillot perd .... couleurs.

L'arbre perd .... feuilles.

3 Écris ces expressions au pluriel.

ce bel animal ....

sa crainte ....

cet emploi ....

son bijou ....

cette adresse ....

cette casserole ....

son canot ....

ce détail ....

cet adulte ....

sa victoire ....

4 Écris les noms en **couleur** au pluriel, et fais les accords nécessaires.

Ce **passage** à niveau est dangereux car il ne se voit pas très bien.

....

Cette **statue** grecque, malgré son âge, est bien conservée.

....

M. Trille a surestimé sa **capacité** à débarrasser son grenier en un jour.

....

Une fois pressé, ce **raisin** donnera un excellent jus.

....

Dans son **tiroir**, Sébastien cache tout son **trésor** !

....

5 Complète les phrases par **ses** ou **ces**.

Dans .... lettres, mon grand-père évoque souvent .... souvenirs.

Le vieux baroudeur nous enchante par le récit de .... exploits.

Le joueur d'échecs déplace .... pièces après mûre réflexion.

Pour marcher, ... plages de sable sont préférables à .... plages de galets.

Rien n'est plus fascinant que .... couchers de soleil derrière .... montagnes.

Le Parthénon a vingt-cinq siècles, mais .... ruines sont encore grandioses.

Arnold corrigea bien vite .... erreurs et .... camarades l'aidèrent.

6 Complète les phrases par **ses** ou **ces**
et place le nom du lieu célèbre qui convient.

l'Himalaya – la tour Eiffel – Niagara – Venise

Cette ville est surtout connue pour .... chutes : c'est ....

Avec .... poutrelles d'acier, elle domine Paris : c'est ....

.... montagnes culminent à plus de 8 000 mètres : c'est ....

Sur .... canaux voguent les gondoles : c'est ....

mémo malin

Il n'est pas toujours facile de savoir si celui qui écrit emploie
le déterminant possessif ou le déterminant démonstratif.
Il faut bien examiner le sens de la phrase pour pouvoir choisir.

Henri achète **ces** vêtements parce qu'ils lui plaisent.
Henri ôte **ses** vêtements parce qu'ils sont mouillés.
mais : Henri aime bien **ses** (**ces**) vêtements.

Je retiens !

Il ne faut pas confondre :

• **leur**, pronom personnel placé près du verbe, qui est invariable ; il peut être remplacé par *lui*.

Tes amis, tu leur offres ton aide. – Ton ami, tu lui offres ton aide.
Tes amis, leur offres-tu ton aide ? – Ton ami, lui offres-tu ton aide ?

• **leur(s)**, déterminant possessif, qui s'accorde avec le nom auquel il se rapporte.

leur père – leurs joues – leurs vacances – leur vie

1 **Dans ces phrases, observe la nature du mot leur et coche la bonne case.**

Ces clients ont commandé des casques ; faites-leur comparer la qualité.

Quand les acteurs sont en coulisses, on leur donne les derniers conseils.

L'entraîneur rassemble les joueurs et leur demande d'être plus offensifs.

Les élèves avaient bien travaillé et les récompenses leur ont fait plaisir.

Leur est un pronom personnel. ❏   **Leur** est un déterminant possessif. ❏

2 **Complète ces phrases par leur ou leurs.**

Nos paupières se ferment peu à peu.   .... paupières se ferment peu à peu.

Les lapins regagnent le terrier.   Les lapins regagnent .... terrier.

Les joueurs classent les cartes.   Les joueurs classent .... cartes.

Écris-lui de ma part.   Écris-............. de ma part.

Le touriste présente son passeport.   Les touristes présentent .... passeport.

Le viticulteur soigne ses vignes.   Les viticulteurs soignent .... vignes.

Fais-lui un petit signe.   Faites-............. un petit signe.

3 **Quels animaux se cachent derrière chaque leur ?**

On leur fixe des fers aux sabots. → ....

On leur confiait des messages à transmettre par les airs. → ....

On leur laisse le soin de nous débarrasser des souris. → ....

On leur coupait leurs défenses pour sculpter l'ivoire. → ....

On leur donne un os et ils le rongent. → ....

On leur prend leur miel. → ....

4 **Écris les noms en couleur au pluriel et fais les accords nécessaires.**

L'**ouvrier** creuse la tranchée ; Jean lui en indique la profondeur.

....

Le **commerçant** installe ses fruits ; un client lui demande les prix.

....

Le mécanicien appelle l'**apprenti** pour lui montrer le filtre à huile.

....

L'**automobiliste** arrête son véhicule sur une aire de repos.

....

L'**éleveur** certifie que ses bêtes sont nourries uniquement avec de l'herbe.

....

5 **Complète ces phrases par leur ou leurs et accorde les noms selon le sens.**

Dans le train, tous les voyageurs compostent .... ticket...... .

Les plaisanciers recouvrent .... visage...... d'écran solaire.

Ces jeunes filles sont fières de .... boucle...... d'oreille...... .

Les animateurs écoutent .... auditeur...... avec beaucoup d'attention.

Aymeric et Fanny écoutent .... disque...... sur un baladeur.

6 **Complète les phrases suivantes par leur ou leurs.**

En .... disant la vérité, on .... évitera des surprises.

Les mitrons saupoudrent .... pains de farine et surveillent .... mise au four.

Est-ce que notre courrier .... est bien parvenu pendant .... vacances ?

Les poules ont rassemblé .... poussins pour les protéger sous .... ailes.

Rappelle-............. que le concert est à vingt heures et que .... places sont réservées.

Pour .... anniversaire, nous .... cueillerons les premières cerises.

mémo malin

Il est parfois difficile d'accorder **leur** quand il est adjectif possessif
parce qu'on ne sait pas si l'on parle d'une ou de plusieurs choses,
d'une ou de plusieurs personnes.
Les cyclistes sortent **leur** vélo et gonflent **leurs** pneus.
→ chaque cycliste a **un** vélo, chaque vélo a **deux** pneus
mais :
Les élèves sortent **leur(s)** cahier(s) et **leur(s)** livre(s).

Recopie les mots mal orthographiés
sur une feuille à part

12 *Une vocation précoce*

13 *Une peur irraisonnée*

14 *Un bruit méconnu*

15 *Un jeune imprudent*

Sur le quai de Marseille

Migration

Une exploitation inconsidérée

Un élevage de poulets

Je retiens !

- Les verbes terminés par **-eler** ou **-eter** s'écrivent généralement avec **ll** ou **tt** devant un **e** muet.

j'appelle – il appelle – nous appelons ; je jette – ils jettent – vous jetez

- Quelques verbes comme **acheter**, **geler**, **peler** ne doublent pas le **l** ou le **t** devant un **e** muet, mais s'écrivent avec une consonne simple précédée d'un **è**.

il gèle – elles gèlent – vous gelez ; tu achètes – nous achetons

Il est prudent de consulter un livre de conjugaison.

- À la 1re personne du pluriel du présent de l'indicatif, devant la terminaison **-ons**, les verbes en **-cer** prennent une cédille sous le **c**, et les verbes en **-ger** prennent un **e** après le **g**.

nous commençons – nous fonçons ; nous pataugeons – nous plongeons

- Les verbes terminés par **-yer** à l'infinitif changent le **y** en **i** devant un **e** muet.

je nettoie – tu nettoies – il nettoie – nous nettoyons – ils nettoient

---

1 **Écris les verbes entre parenthèses au présent de l'indicatif (ils doublent tous le l ou le t devant un e muet).**

(rejeter)   La mer .... les débris sur la plage.

(appeler)   Mes cousins .... leur nouveau-né Hugo.

(empaqueter)   Les machines .... les bonbons.

(renouveler)   Nous .... notre adhésion à l'école de musique.

2 **Écris les verbes entre parenthèses au présent de l'indicatif (ils ne doublent pas le l ou le t devant un e muet).**

(acheter)   L'antiquaire .... des tableaux trouvés dans un grenier.

(receler)   Ce terrain .... du minerai de fer.

(congeler)   Je .... les framboises que je viens de cueillir.

(haleter)   Fatigués par une longue course, les chiens ....

(peler)   Vous .... toujours les fruits avant de les manger.

3 **Écris les verbes entre parenthèses au présent de l'indicatif.**

(annoncer)   Nous vous .... une bonne nouvelle : il fait beau.

(ménager)   Nous .... une place pour chaque chose.

(se diriger)   Nous .... vers la statue.

(remplacer)   Nous .... le filtre de la cafetière.

4 Écris les verbes entre parenthèses au présent de l'indicatif.

(appuyer)   Dans la montée, vous .... sur les pédales.

(employer)   Je n'......................... pas cet outil, car je risque de me blesser.

(aboyer)   Ces chiens .... quand ils entendent du bruit.

(essayer)   Nous .... un nouveau produit pour graisser l'engrenage.

(tutoyer)   Je ne .... pas mon voisin bien trop âgé.

(déployer)   Les aigles .... leurs ailes au-dessus des petits rongeurs.

(s'ennuyer)   Est-ce que tu .... lorsque tu es en vacances ?

(déblayer)   Un puissant bulldozer .... le terrain vague.

5 Écris les verbes pouvoir et vouloir au présent de l'indicatif.

pouvoir

Je ne .... pas sortir ce matin.

...............................-nous nous retirer ?

Qui .... le plus .... le moins.

...............................-vous m'être utile ?

.......................-tu dévisser ces boulons ?

Les tenailles ne .... pas flotter !

vouloir

...............................-vous réparer cet objet ?

Que ....-tu pour ta fête ?

Je m'en .... de ne pas dormir.

Que .... dire ce touriste ?

Ces papiers ne .... pas brûler.

Les oiseaux .... s'envoler.

6 Complète les phrases avec les verbes à l'infinitif cachés dans la grille ;
tu les écriras au présent de l'indicatif.

Adrien .... lentement le mot *orthographe*.

Nous .... les cordes de la guitare.

Les sorcières .... de mauvais sorts.

Nous .... avec un stylo noir.

Vous ne .... pas de mensonges.

Nous .... des artichauts.

D	I	P	R	E	E
A	C	I	O	P	C
M	A	N	G	E	R
P	O	C	U	L	I
E	J	E	T	E	R
D	I	R	E	R	E

Je retiens !

• À l'imparfait de l'indicatif, tous les verbes prennent les mêmes terminaisons : **-ais, -ais, -ait, -ions, -iez, -aient.**

• Pour les verbes du 2e groupe, les terminaisons sont précédées de l'élément **-iss-**. **je m'enrichissais ; tu agissais ; il mûrissait ; nous choisissions ; vous obéissiez ; ils rougissaient**

• Pour certains verbes du 3e groupe, le radical est modifié. (C'est la même modification qu'à la 1re personne du pluriel du présent de l'indicatif.)

connaître → je connaissais　　　　**écrire → j'écrivais**
dire → elle disait　　　　　　　　**éteindre → elle éteignait**
voir → je voyais　　　　　　　　　**construire → elle construisait**
faire → nous faisions　　　　　　　**boire → je buvais**

1 **Indique à quel temps de l'indicatif sont conjugués les verbes en couleur.**

Vous modifiez le programme.　　　　　présent ❑　　imparfait ❑

Nous vérifiions les résultats.　　　　　présent ❑　　imparfait ❑

Vous pétillez de malice.　　　　　　　présent ❑　　imparfait ❑

Nous taillons les rosiers.　　　　　　　présent ❑　　imparfait ❑

Vous effrayiez les flamants roses.　　　présent ❑　　imparfait ❑

Nous expédiions un colis.　　　　　　　présent ❑　　imparfait ❑

2 **Écris les verbes en couleur (conjugués au présent de l'indicatif) à l'imparfait de l'indicatif.**

Nous changeons souvent de lieu de vacances.

....

Les vautours dépècent la proie abandonnée par la lionne.

....

Vous vous octroyez la meilleure part du gâteau.

....

Nous nous mouillons jusqu'aux cheveux.

....

Nous vous confions d'importants secrets.

....

3 Écris l'infinitif des verbes en couleur conjugués à l'imparfait de l'indicatif.

Je m'exerçais au lancement du boomerang. ....

Tu résolvais les problèmes les plus difficiles. ....

Nous repeignions la façade de la maison. ....

Vous faisiez contre mauvaise fortune bon cœur. ....

Des rochers émergeaient à marée basse. ....

En l'an 1000, les Chinois connaissaient l'usage du papier. ....

4 Écris les verbes entre parenthèses à l'imparfait de l'indicatif.

(se diriger)   Autrefois, les caravaniers .... grâce aux étoiles.

(déplacer)   Pourquoi ....-tu les meubles de ta chambre ?

(soulager)   Cette pommade à l'arnica .... ma bosse.

(grimacer)   Vous .... un sourire malgré la défaite.

(paraître)   Après ta maladie, tu .... bien faible.

(boire)   Je .... un verre de lait chaque matin.

(prévoir)   La météo .... un temps lourd et orageux.

5 Complète les phrases avec les verbes à l'infinitif cachés dans la grille ;
tu les conjugueras à l'imparfait de l'indicatif.

Avec ce tampon métallique, nous .... l'émail du four.

Les Égyptiens .... des pyramides pour les morts.

Émilie .... facilement la conversation.

Depuis huit jours, il .... sur les sommets.

Vous .... les perles vertes mélangées avec les rouges.

Lorsque j'étais un bébé, je .... mon pouce.

V	R	M	E	S	L
E	A	P	R	U	I
R	Y	R	I	C	E
N	E	I	G	E	R
T	R	I	E	R	A
O	S	E	R	U	V

mémo malin

Voici un moyen de retenir quelques particularités
de la conjugaison de verbes à l'imparfait de l'indicatif.

-yer	Autrefois, nous n'**emplo**y**ions** pas de calculatrices !	y + i
-gner	Nous ali**gni**ons tous les chiffres,	gn + i
-iller	nous vei**lli**ons à bien écrire,	ill + i
-ier	nous vérif**ii**ons tous les calculs.	i + i
-cer	Parfois, dit grand-père, je recommen**ça**is	ç + a
-ger	car le maître exi**gea**it la perfection.	ge + a

22 Le futur simple

Je retiens !

Au futur simple, tous les verbes prennent les mêmes terminaisons :
-ai, **-as**, **-a**, **-ons**, **-ez**, **-ont**, qui s'ajoutent à leur infinitif pour les verbes des 1er et 2e groupes, ainsi que pour certains verbes du 3e groupe.

• Pour bien écrire les verbes du 1er groupe en **-ier**, **-ouer**, **-uer**, il ne faut pas oublier le **e** de l'infinitif.
se méfier → je me méfierai ; jouer → tu joueras
continuer → il continuera

• Les verbes du 1er groupe en **-yer** changent le **y** en **i** à toutes les personnes.
il nettoiera ; vous vous ennuierez ; ils essaieront

• Les verbes du 1er groupe en **-eler** ou **-eter** s'écrivent généralement avec **ll** ou **tt** à toutes les personnes.
tu épelleras ; il jettera ; ils étincelleront
Exceptions : **acheter**, **geler**, **peler** ne doublent pas le **l** ou le **t**, mais s'écrivent avec une consonne simple précédée d'un **è**.
j'achèterai ; il gèlera ; vous pèlerez

---

1 **Écris l'infinitif de ces verbes conjugués au futur simple.**

Les jours diminueront dès le mois de juillet. ....

Avec insistance, je le supplierai de m'aider. ....

Tu rabroueras Renaud pour sa négligence. ....

Nous nous habituerons à notre nouvel appartement. ....

Le médecin se dévouera sans compter pour ses malades. ....

Faute de temps, vous sacrifierez une partie de vos loisirs. ....

2 **Écris les verbes entre parenthèses au futur simple.**

(nettoyer)   Si nous salissons le carrelage, nous le ....

(remercier)   Tu .... Antoine pour sa gentillesse.

(essuyer)   L'équipe de Biarritz .... certainement un sérieux revers.

(vérifier)   Les techniciens .... tous les instruments de bord.

(tutoyer)   Il .... son grand-oncle, si cela ne le gêne pas.

(convoyer)   Les motards .... un chargement exceptionnel.

(payer)   Bientôt, on .... nos achats avec une carte bancaire.

3 Écris les verbes entre parenthèses au futur simple.

(faire) Je .... de l'escalade.   (recevoir) Tu .... ma réponse.

(mourir) Cet arbre .... bientôt.   (courir) Lionel .... le marathon.

(revoir) Nous .... nos amis.   (valoir) Cela .... le détour.

(parcourir) Vous .... les titres.   (croire) Nous ne vous .... pas.

(tenir) Ils .... les rênes.   (venir) Vous .... en retard.

(rire) Tu .... de bon cœur.   (avoir) J'.................. un peu de chance.

4 Écris les verbes entre parenthèses au futur simple.

(cueillir-faire) Vous .... des roses et vous .... un bouquet.

(être-tenir) Lorsque je .... grand, je .... un commerce.

(savoir-aller) Quand tu .... conduire, nous .... à Boulogne.

(revenir-courir) Quand Elsa ...., nous .... sur la plage.

(envoyer-pouvoir) J'.................. un courrier à Blaise lorsque je le ....

(voir-faire) Vous .... un potier qui .... un vase.

(skier) Les moniteurs ne .... pas hors des pistes balisées.

(revenir-revoir) Quand les pluies ...., nous .... les escargots le long des chemins.

5 Complète ces phrases avec des verbes de la famille de **venir** conjugués au futur simple.

convenir – advenir – devenir – parvenir – prévenir – survenir

La rumeur .... jusqu'à nous.

Vous .... que ce projet est trop ambitieux.

Je .... le directeur de mon départ avant la fin de l'année.

Julie .... certainement ingénieur en électronique.

Lorsque la crue ...., nous monterons les meubles à l'étage.

Personne ne sait ce qu'il .... de la télévision dans un siècle.

---

mémo malin

Pour quelques verbes du 3ᵉ groupe,
le radical est modifié au futur simple.

aller → tu iras   venir → je viendrai   cueillir → nous cueillerons
faire → elle fera   tenir → nous tiendrons   savoir → tu sauras

Attention aux verbes qui prennent deux **r**.

je cou**rr**ai - tu ve**rr**as - il enve**rr**a - nous pou**rr**ons - ils mou**rr**ont

Je retiens !

Au passé simple :

• Tous les verbes du 1er groupe prennent les mêmes terminaisons :
-ai, -as, -a, -âmes, -âtes, -èrent.
**je marchai ; tu entras ; il cria ; nous gagnâmes ; vous passâtes ;
elles pensèrent**

• Tous les verbes du 2e groupe - et plusieurs verbes du 3e groupe - prennent les mêmes terminaisons :
-is, -is, -it, -îmes, -îtes, -irent.
**je franchis ; tu réussis ; il ralentit ; nous prîmes ; vous partîtes ;
ils sortirent**

• Un certain nombre de verbes du 3e groupe comme *courir*, *pouvoir*, *savoir*, *connaître*, *recevoir*, (ainsi que les auxiliaires *être* et *avoir*) font leur passé simple en
-us, -us, -ut, -ûmes, -ûtes, -urent.
**je fus ; tu eus ; il sut ; il connut ; nous eûmes ; vous fûtes ;
ils parcoururent ; ils reçurent**
Les deux premières personnes du pluriel ne sont plus guère employées.

1 **Écris les verbes en couleur au passé simple.**

L'armée assiège le château fort.   L'armée ....

Le cuisinier épluche les légumes.   Le cuisinier ....

Élie et Loïc adoptent un hamster.   Élie et Loïc ....

Tu retombes sur tes pieds.   Tu ....

Je m'installe confortablement.   Je ....

Nous enfilons nos gants.   Nous ....

2 **Écris les verbes entre parenthèses au passé simple.**

(abolir)   Les Français n'................................. l'esclavage qu'en 1848.

(enfouir)   Harpagon .... sa cassette au fond de son jardin.

(se blottir)   Comme il faisait froid, je .... au fond de mon lit.

(ralentir)   À l'approche du carrefour, tu ....

(enduire)   Tu .... tes chaussures de cirage noir avant de les brosser.

(atteindre)   Napoléon .... le sommet de sa gloire à Austerlitz.

(se servir)   Pour serrer ces boulons, nous .... d'une clé à tube.

3 Dans les phrases suivantes, écris les verbes au passé simple ou à l'imparfait selon le sens.

(attendre-obtenir)   Tu .... depuis deux mois lorsque
tu .... enfin ton passeport.

(pleuvoir-courir)   Il .... à verse, alors
je .... me réfugier sous le porche.

(avoir-faire)   Vous .... l'habitude de rentrer vite,
mais cette fois vous .... un détour.

(demander-être)   Pour une fois, les enfants .... des frites
et ils .... satisfaits.

(rester-se placer)   Il ne .... plus de places assises,
alors nous .... au fond du bus.

(être-construire)   L'explorateur .... contraint de s'arrêter,
alors il .... un igloo.

4 Voici des extraits de textes des fables de La Fontaine.
Complète-les, puis écris l'infinitif des verbes en couleur.

le rat – la cigogne – un vieillard – le renard – le pot de terre –
une grenouille – la fourmi – un bœuf – un loup

Elle **alla** crier famine chez la .... sa voisine.   ....

Une .... **vit** .... qui lui
sembla de belle taille.   ....

Compère le .... **se mit** un jour en frais, ...
et **retint** à dîner commère la ....

Un .... **survint** à jeun
qui cherchait aventure.   ....

Le pot de fer **proposa** au .... un voyage.   ....

Un .... sur son âne **aperçut** en passant
un pré plein d'herbe.   ....

À la porte de la salle, ils **entendirent** du bruit :   ....
le .... de ville **détala**.   ....

mémo malin

Au passé simple, les verbes des familles de *tenir* et *venir* ont
des terminaisons particulières : **-ins**, **-ins**, **-int**, **-înmes**, **-întes**, **-inrent**.

elle t**int** ; il v**int** ; ils obt**inrent** ; ils parv**inrent**

24 Les temps composés de l'indicatif

Je retiens !

Aux temps composés, le verbe se conjugue avec un auxiliaire (*avoir* ou *être*), lui-même conjugué à un temps simple, suivi du participe passé du verbe.
Au passé composé, l'auxiliaire est au **présent** : **il a mangé ; il est né**
Au plus-que-parfait, l'auxiliaire est à l'**imparfait** : **il avait mangé ; il était né**
Au futur antérieur, l'auxiliaire est au **futur simple** : **il aura mangé ; il sera né**

1 **Indique les temps composés auxquels sont conjugués les verbes en couleur.**

Tu **as bu** un excellent jus de fruits. ....

Roland **avait sonné** du cor à Roncevaux. ....

À peine **aura-t-il visé** que l'archer tira. ....

Le loup du conte **a dévoré** la grand-mère. ....

Les nains **avaient recueilli** Blanche-Neige. ....

L'ouragan **a déraciné** le chêne. ....

Dans cinq minutes, vous **aurez trouvé** la sortie. ....

L'autruche **avait pondu** des œufs énormes. ....

2 **Écris les verbes entre parenthèses au passé composé.**

(broyer) Avec ses puissants anneaux, le boa .... sa proie.

(mettre) Il y avait du soleil, alors j'................................ mon sombrero.

(découvrir) Les archéologues .... de nouveaux fossiles.

(monter) Vous .... au premier étage de la tour Eiffel.

(aller) Au mois de juillet, tu .... en vacances en Italie.

(venir) Cette année, le froid .... plus tôt que prévu.

3 **Écris les verbes entre parenthèses au plus-que-parfait.**

(mériter) Les gymnastes .... les ovations du public.

(révéler) Les observations .... une éruption solaire.

(cacher) Le pirate .... son trésor sur une île déserte.

(sortir) Ce jour-là, vous .... en avance.

(descendre) L'ascenseur était en panne, alors tu .... à pied.

(suivre-perdre) J'a................................. le rythme, mais j'................................. mes forces.

4 Écris chaque premier verbe au futur antérieur et chaque second verbe au futur simple.

(terminer-poster)

Dès que tu .... ta lettre, tu la ....

(retrouver-être)

Quand j'.. mon chemin, je .... plus tranquille.

(sarcler-cueillir)

Lorsque vous .... l'allée, vous .... des dahlias.

5 Écris les verbes entre parenthèses au plus-que-parfait.

(chavirer)   Pendant la tempête, deux barques ....

(conduire)   Pour sa première leçon, elle .... fort bien ....

(voter)   À seize heures, tous les électeurs ....

(continuer)   Les jeux de plage .... sous la pluie.

(devenir)   Tu .... grande et musclée grâce à la natation.

6 Complète les phrases avec le verbe proposé entre parenthèses que tu conjugueras à un temps composé qui convient.

(pêcher)   Lorsque j'................................ assez de poissons, je partirai.

(traverser)   Quand tu .... la rivière, tu ignorais sa pollution.

(connaître)   Dès que Johan .... le résultat, il a sauté de joie.

(décoller)   Il faisait beau et la fusée .... sans incident.

(réunir)   Louis XVI, roi de France, ... les États généraux.

(recevoir)   Quand tu .... la facture, tu la régleras.

(emporter)   Vous .... une lampe car la grotte était sombre.

(naître)   Ces sœurs .... le même jour, mais pas la même année !

(commencer)   Lorsque Tom arriva, la représentation .... déjà ....

(relire)   Quand j'........................ mon devoir, je le donnerai au professeur.

---

mémo malin

Seul le participe passé employé avec l'auxiliaire *être*
s'accorde avec le sujet du verbe.
Je suis tombé(e) – Elle était tombée – Ils seront tombés

Le participe passé employé avec l'auxiliaire *avoir*
s'accorde avec le complément d'objet direct du verbe s'il est placé avant le participe.
J'ai lavé <u>des draps</u>. – Voici les draps <u>que</u> j'ai lavés.

Je retiens !

• Au présent du conditionnel, tous les verbes prennent les mêmes terminaisons : **-ais, -ais, -ait, -ions, -iez, -aient** (toujours précédées de la lettre **r**).

Pour certains verbes, on retrouve les mêmes modifications du radical qu'au futur simple, seules les terminaisons changent.

essayer → j'essaierais ; prendre → je prendrais ; valoir → cela vaudrait ; courir → tu courrais ; appeler → il appellerait ; acheter → j'achèterais

• Pour ne pas confondre la 1re personne du singulier du futur simple avec la même personne du conditionnel présent qui a la même prononciation, il faut penser à la personne correspondante du pluriel.

je me réjouirai → nous nous réjouirons
je me réjouirais → nous nous réjouirions

1 **Écris les verbes aux temps et aux personnes demandés.**

	futur simple de l'indicatif	*conditionnel présent*
risquer gros	Il	Il ....
avoir soif	Nous	Nous ....
voir clair	Je	Je ....
perdre sa voix	Vous	Vous ....
parler fort	Elles	Elles ....
allonger le pas	Tu	Tu ....

2 **Donne l'infinitif des verbes en couleur, puis écris-les au conditionnel présent.**

Sans aide, ces candidats vont à l'échec. ....

....

Avec un bon voilier, je traverse la Manche. ....

....

Tu peins la balustrade avec un produit antirouille. ....

....

Sur le podium, le vainqueur reçoit la médaille d'or. ....

....

Nous effectuons des démarches pour notre passeport. ....

....

3 Écris chaque premier verbe à l'imparfait de l'indicatif et chaque second verbe au conditionnel présent.

Si nous lui téléphonons, Natacha répondra à notre appel.

....

Si le hamster n'a rien à faire, il mourra d'ennui.

....

Si vous essayez ce produit, vous l'adopterez immédiatement.

....

Si M. et Mme Le Garrec gagnent ce concours, ils partiront en voyage.

....

4 Écris les verbes entre parenthèses au futur simple ou au conditionnel, selon le sens.

(atteindre)   Si tu marches plus vite, nous .... le sommet à six heures.

(utiliser)   Si un incendie se déclarait, qu'.........................-vous pour l'éteindre ?

(recouvrir)   Si le lierre continue à pousser, il .... le toit de la grange.

(lire)   Si ce livre me plaît, je le .... jusqu'au bout.

(croire)   Si tu pénétrais dans cette grotte, tu .... entrer dans un palais.

5 Transforme ces phrases selon le modèle.

Exemple : Quand l'éclipse sera totale, vous n'entendrez plus les oiseaux chanter.
→ Si l'éclipse était totale, vous n'entendriez plus les oiseaux chanter.

Quand les glaces des pôles fondront, que deviendront les îles du Pacifique ?

....

Quand je serai plus grand, je ferai le tour du monde.

....

Quand tu voudras voir des poissons rares, tu visiteras l'aquarium de Monaco.

....

mémo malin

Dans les propositions qui commencent par « si »,
le verbe n'est jamais conjugué au conditionnel.

Si nous part**ons** à l'aube, nous arriver**ons** avant les grandes chaleurs.
↑   ↑
présent de l'**indicatif**   futur simple de l'**indicatif**

Si nous part**ions** à l'aube, nous arriver**ions** avant les grandes chaleurs.
↑   ↑
imparfait de l'**indicatif**   conditionnel présent

Je retiens !

L'impératif ne se conjugue qu'à trois personnes, sans sujets exprimés.

• À la 2e personne du singulier :

– les verbes du 1er groupe (et quelques verbes du 3e groupe) se terminent par **e** :

chante ; parle ; sache ; ouvre ; cueille

– les autres verbes se terminent par **s** :

choisis ; souris ; descends ; pars ; fais ; viens

• Aux 1re et 2e personnes du pluriel, tous les verbes ont pour terminaisons **-ons**, **-ez**.

sautons ; jouons ; réfléchissons ; buvons ; sortons

sautez ; jouez ; réfléchissez ; buvez ; sortez

• *Aller*, *être* et *avoir* ont des conjugaisons particulières.

aller → **va, allons, allez**

être → **sois, soyons, soyez**

avoir → **aie, ayons, ayez**

---

1 **Dans chaque ligne, un verbe n'est pas à l'impératif. Souligne-le.**

Ne ris pas. – Ne sors pas. – Tu ne passes pas. – Ne dors pas. – Ne t'enfuis pas.

Arrangez-vous ! – Calmez-vous ! – Skiez-vous ? – Renseignez-vous ! – Baissez-vous !

Écris-tu ? – Instruis-toi ! – Tais-toi ! – Accroupis-toi ! – Réfléchis ! – Parfume-toi !

2 **Donne l'infinitif des verbes en couleur, puis écris-les à l'impératif.**

Tu mélanges les deux pots de peinture. ....

Vous revendez votre automobile. ....

Tu nourris tes perruches. ....

Tu étudies le nouveau règlement. ....

Tu remplis la bouteille de sirop de menthe. ....

Tu remercies ta tante pour ce beau cadeau. ....

3 Écris les verbes entre parenthèses à l'impératif.

(tenir) .... fermement la laisse de ton chien.

(dire) ....-moi ton nom.

(offrir) ....-vous un jour un repas dans un bon restaurant.

(savoir) .... que nous ne tolérerons pas un refus de ta part.

(vouloir) .... formuler clairement votre question.

(ouvrir) .... grand tes oreilles pour écouter ce concert.

4 Écris les verbes entre parenthèses au présent de l'impératif.

(réduire-être) Par temps de brouillard, ... votre vitesse

et .... prudents.

(recueillir) .... quelques informations

sur la vie des peintres que tu étudies.

(perdre-gaspiller) Ne .... pas votre temps

et ne .... pas vos forces.

(se lever-céder) Dans l'autobus, ...

et .... votre place aux personnes âgées.

(hésiter-s'abonner) N'............................... pas et ....

à ce journal ; tu verras qu'il t'intéressera.

5 Écris les verbes entre parenthèses aux temps et aux personnes demandés.

	présent de l'indicatif	*présent de l'impératif*
(se méfier)	Vous	....
(se souvenir)	Tu	....
(s'essuyer)	Tu	....
(s'arrêter)	Tu	....
(se calmer)	Vous	....
(s'inscrire)	Tu	....
(se soigner)	Tu	....

mémo malin

Pour les verbes pronominaux conjugués à l'impératif, un pronom personnel suit le verbe, mais ce n'est pas un sujet ; il s'agit du *pronom réfléchi*.

reculer → recule ; reculons ; reculez
se reculer → recule-toi ; reculons-nous ; reculez-vous

Je retiens !

• Au présent du subjonctif, tous les verbes précédés de la conjonction **que** prennent les mêmes terminaisons : **-e, -es, -e, -ions, -iez, -ent**.

chanter → ... que tu chantes ; prendre → ... que vous preniez

Les deux auxiliaires *être* et *avoir* ont des conjugaisons particulières.

... que j'aie	... que nous ayons	... que je sois	... que nous soyons
... que tu aies	... que vous ayez	... que tu sois	... que vous soyez
... qu'elle ait	... qu'ils aient	... qu'elle soit	... qu'ils soient

• Pour ne pas confondre les formes homophones du singulier du présent de l'indicatif et celles du présent du subjonctif de certains verbes du 3e groupe, il faut penser à la 1re personne du pluriel ou remplacer le verbe employé par un verbe pour lequel on entend la différence.

Tu cours au marché.	**Il faut que tu coures au marché.**
Nous courons au marché.	**Il faut que nous courions au marché.**
Tu viens au marché.	**Il faut que tu viennes au marché.**

1 **Complète les phrases avec avoir ou être conjugués au présent du subjonctif.**

Il faut que vous .... plus coopératifs.

Entraîne-toi pour que tu .... en pleine forme le jour de la compétition.

Il faut absolument que j'................................ une minute pour te téléphoner.

Elles continuent à travailler bien qu'elles .... fatiguées.

On souhaite que les vacanciers .... un temps magnifique.

Que vous .... des soucis ne m'étonne guère.

Il faut que tu .... confiance en toi.

Pourvu que nous ne .... pas importunés par les moustiques.

2 **Écris les verbes aux temps et aux personnes demandés.**

	présent de l'indicatif	*présent du subjonctif*
(boire)	Vous	Il faut que vous ....
(se retenir)	Tu	Il faut que tu ....
(s'enhardir)	Je	Il faut que je ....
(venir)	Elle	Il faut qu'elle ....
(se taire)	Je	Il faut que je ....

3 Écris les verbes entre parenthèses au présent de l'indicatif
ou au présent du subjonctif.

(rire)   Chaque fois que le clown tombe, Isabelle .... aux éclats.

(courir)   Je me plains que tu .... partout sans motif.

(fuir)   Quand l'hiver arrive, l'hirondelle .... nos régions.

(mourir)   On craint toujours que le camélia .... de froid.

(prévoir)   La météo .... un temps orageux pour cet après-midi.

(secourir)   Il est urgent que tu .... cet écureuil blessé.

(croire)   Il est possible que vous .... le récit fantastique
              de cet explorateur de retour d'Amazonie.

4 Un seul verbe, conjugué au présent du subjonctif, complète
toutes les phrases. Découvre-le et accorde comme il convient.

Il est important que vous .... consciencieusement vos devoirs.

Ne crains-tu pas que ce mauvais partage .... des mécontents ?

Nous ne sommes pas au bout de nos peines bien que nous .... des efforts.

Pouvez-vous relire ma copie afin que je ne .... pas trop d'erreurs ?

Pour sortir de ce créneau, il faut que M. Bleu .... marche arrière.

5 Transforme ces phrases selon le modèle.

Exemple : J'ignore si tu sais nager. → *Il serait bon que tu saches nager.*

J'estime que Julien perd son temps en comptant tous ces grains de blé.
Je ne veux pas que ....

Je constate que vous ralentissez dans les agglomérations.
Il serait préférable que ....

Tu nous dis que le bateau part dans une minute.
Il serait étonnant que ....

---

mémo
malin

Pour un certain nombre de verbes, le radical peut être modifié,
mais les terminaisons restent celles de tous les verbes.

savoir → ... qu'ils sachent – **aller** → ... qu'ils aillent – **faire** → ... que je fasse
vouloir → ... que tu veuilles – **dire** → ... qu'elle dise – **plaire** → ... que je plaise
réfléchir → ... que tu réfléchisses – **mourir** → ... qu'il meure
pouvoir → ... qu'il puisse – **conduire** → ... que vous conduisiez

Dictées Bilans

Recopie les mots mal orthographiés
sur une feuille à part

20 *Vacances à la campagne*

21 *Naïveté de l'enfant*

22 *Spéléologues en détresse*

23 *La foire du Trône*

Exploration

Réalité ou fiction ?

Surprise assurée

Un beau cadeau

Achevé d'imprimer en Italie par

LA TIPOGRAFICA VARESE
Società per Azioni
Varese
Dépôt légal : mars 2012 - Collection 48 - Edition 03
16/9880/2